Comprendre
l'incontinence

Professeure Linda Cardozo et
Dr. Philip Toozs-Hobson

IMPORTANT

Ce livre ne vise pas à remplacer les conseils médicaux personnalisés, mais plutôt à les compléter et à aider les patients à mieux comprendre leur problème.

Avant d'entreprendre toute forme de traitement, vous devriez toujours consulter votre médecin.

Il est également important de souligner que la médecine évolue rapidement et que certains des renseignements sur les médicaments et les traitements contenus dans ce livre pourraient rapidement devenir dépassés.

© Family Doctor Publications 2000-2008
Paru sous le titre original de : *Understanding Female Urinary Incontinence*

LES PUBLICATIONS MODUS VIVENDI INC.
55, rue Jean-Talon Ouest, 2e étage
Montréal (Québec) Canada H2R 2W8

Directeur général : Marc Alain
Design de la couverture : Catherine Houle
Infographie : Transmédia
Traduit de l'anglais par : Ghislaine René de Cotret

ISBN-13 978-2-89523-473-9

Dépôt légal - Bibliothèque et Archives nationales du Québec, 2008
Dépôt légal - Bibliothèque et archives Canada, 2008

Nous reconnaissons l'aide financière du gouvernement du Canada par l'entremise du Programme d'aide au développement de l'industrie de l'édition (PADIÉ) pour nos activités d'édition.

Gouvernement du Québec — Programme de crédit d'impôt pour l'édition de livres — Gestion SODEC

Table des matières

Les auteurs

Mme Linda Cardozo, professeure en urogynécologie œuvrant au King's College Hospital, en Angleterre, possède 20 ans d'expérience en recherche médicale. La clinique qu'elle a mise sur pied en 1979 est maintenant réputée à l'échelle mondiale, surtout pour l'analyse et le traitement de toutes les facettes de l'incontinence urinaire féminine.

M. Philip Toozs-Hobson est clinicien expert-conseil en chef d'urogynécologie au Birmingham Women's Hospital, en Angleterre. Auparavant, il a offert ses services en tant que membre associé à la recherche au King's College Hospital. Il porte un intérêt particulier aux effets de l'accouchement sur le plancher pelvien.

Définition de l'incontinence urinaire

L'incontinence urinaire est une perte involontaire d'urine causant des problèmes d'ordre social ou hygiénique. C'est une condition répandue qui, même si elle ne présente pas de risque pour la santé, est embarrassante et affligeante et peut grandement diminuer la qualité de vie.

L'incontinence peut être légère, n'entraînant qu'une faible perte d'urine sans conséquence; elle ne constitue pas un problème. Elle peut toutefois se révéler plus grave et exiger le port d'une couche ou d'une culotte pour incontinence en tout temps. Elle empêche alors les gens de pratiquer des activités normales comme le sport ou les rend inquiets à l'idée qu'ils pourraient dégager une odeur d'urine.

Les causes de l'incontinence urinaire sont variées et on peut remédier facilement à la plupart d'entre elles, comme on peut soulager la constipation grâce à une meilleure alimentation ou soigner une infection urinaire à l'aide d'antibiotiques. En revanche, certaines causes peuvent nécessiter une chirurgie ou la prise de médicaments à long terme.

Ce livre a pour but de vous renseigner sur l'incontinence urinaire et son traitement. Il ne remplace pas une consultation médicale. Nous espérons toutefois qu'il répondra aux questions que vous vous posez au sujet de ce problème. Il traite également d'autres troubles urinaires comme la cystite à répétition ou des douleurs vésicales, car une femme peut éprouver des troubles de la vessie sans avoir de fuites d'urine.

Qui souffre d'incontinence urinaire ?

L'incontinence urinaire survient surtout chez la femme qui a vécu un accouchement, mais elle peut aussi toucher les enfants, les hommes et les femmes qui n'ont pas eu d'enfant.

De 2,5 à 3 millions de femmes souffriraient d'incontinence urinaire en Angleterre seulement. Ce nombre est sans doute inférieur au nombre réel de cas, car beaucoup de femmes n'osent pas parler de ce problème. Certaines études permettent d'affirmer que près de 30 % des femmes qui ont vécu une grossesse et un accouchement souffrent d'incontinence urinaire.

Symptômes

Outre la perte involontaire d'urine, il y a un grand éventail de symptômes de l'incontinence et de troubles de la vessie, par exemple, une fréquence de miction plus élevée que la normale ou une douleur à la miction (dysurie). La miction impérieuse, soit un besoin pressant et incontrôlable d'uriner, cause un écoulement involontaire d'urine si vous n'arrivez pas à la toilette à temps. Il s'agit là de symptômes courants de la cystite, une inflammation de la vessie. Vous pouvez aussi vous lever plus souvent la nuit pour uriner (nycturie) ou avoir de la difficulté à uriner (troubles d'évacuation de l'urine).

D'autres symptômes sont l'envie d'uriner sans miction et la miction lente à venir, c'est-à-dire un délai avant le début de l'écoulement de l'urine.

Pourquoi hésiter à demander de l'aide ?

À l'heure actuelle, une femme attend en moyenne cinq ans avant de consulter un médecin au sujet de son incontinence. Elle peut être embarrassée, croire que c'est normal après un accouchement ou encore penser qu'il n'y a rien à faire. La femme arrive parfois à gérer elle-même le problème en vidant sa vessie fréquemment afin de prévenir tout écoulement involontaire.

Rassurez-vous. Des gens peuvent vous aider : d'abord, votre omnipraticien, des cliniques spécialisées dans le traitement de l'incontinence et des experts-conseils en incontinence œuvrant dans votre communauté. Les options de traitement vont de simples changements d'habitudes à la chirurgie. Toutes les personnes incontinentes peuvent au moins améliorer leur situation et apprendre à gérer leurs symptômes plus efficacement.

Étude de cas : Sarah

Sarah Hunt est une femme de 36 ans qui avait des écoulements involontaires d'urine provoqués par la toux. Son problème s'est manifesté après la naissance de son deuxième enfant. Elle avait alors 30 ans. Sarah a d'abord remarqué de légères fuites urinaires durant ses cours de danse d'aérobie et a dû, par conséquent, abandonner les exercices avec marche. Le problème s'est aggravé au cours des trois années suivantes, forçant Sarah à éviter le centre de santé. Sarah a fini par consulter son omnipraticien après avoir uriné involontairement en public alors qu'elle prenait sa fille dans ses bras. À ce moment-là, Sarah portait des serviettes hygiéniques pour sortir de la maison et ses amis la taquinaient sur le fait qu'elle allait toujours aux toilettes avant de partir.

L'omnipraticien a référé Sarah à l'hôpital de la région, où elle a subi des tests urodynamiques, lesquels ont révélé qu'elle souffrait d'incontinence urinaire d'effort. À ce moment-là, Sarah ne savait pas si elle voulait avoir d'autres enfants. Elle a rencontré un physiothérapeute qui lui a enseigné des exercices pour renforcer le plancher pelvien; quatre mois plus tard, elle arrivait à contrôler son incontinence. Maintenant, pour ses cours de danse d'aérobie, elle porte un gros tampon vaginal pour éliminer les fuites involontaires.

Étude de cas : Dorothée

Dorothée, 65 ans, a consulté son médecin parce qu'elle avait constamment envie d'uriner. Les commerçants du quartier la connaissaient bien, car elle leur demandait souvent la permission d'utiliser leurs salles d'eau. Dorothée s'est aperçue que si elle ne vidait pas sa vessie fréquemment, elle perdait de l'urine; parfois, cela arrivait avant qu'elle ait trouvé une toilette. Son omnipraticien l'a référée à un expert-conseil en incontinence afin qu'il lui fournisse des couches pour incontinence. Ce dernier lui a recommandé de subir des tests à l'hôpital local. Les tests urodynamiques ont montré que Dorothée souffrait de suractivité du détrusor.

Dorothée a commencé à prendre des anticholinergiques (médicaments qui bloquent l'action des nerfs sur les muscles de la vessie) et a entrepris de rééduquer sa vessie. Elle peut maintenant faire ses courses sans s'arrêter pour uriner et elle n'apporte plus de sous-vêtements de rechange en cas d'accidents.

POINTS CLÉS

- L'incontinence est un problème courant.

- L'incontinence présente un éventail de symptômes.

- Les femmes hésitent souvent à demander de l'aide.

- Il y a un grand nombre de traitements pour l'incontinence.

Fonctionnement de la vessie

Il est essentiel de comprendre le fonctionnement de la vessie, car il existe différents types d'incontinence amenés par des causes variées.

Anatomie de la vessie

La vessie est un organe creux constitué d'un muscle (le muscle détrusor). Les uretères acheminent l'urine des reins jusqu'à la vessie, où elle reste jusqu'au moment de la miction. Une série d'anneaux musculaires situés au bas de la vessie, appelés sphincters urétraux, se contractent afin de maintenir l'orifice vésical fermé. Le col de la vessie, soit la jonction de la vessie et de l'urètre, est en partie soutenu par les muscles du plancher pelvien qui forment une bande dans le pelvis supportant le bassin, le vagin et le rectum.

Le plancher pelvien aide à garder l'urètre en place du côté de l'os iliaque ou coxal. Dans cette position, la pression accrue dans l'abdomen lors d'une toux ou d'un éternuement se voit transmise à l'urètre ainsi qu'à la vessie. Ce phénomène s'appelle la transmission de la pression abdominale et est à la base de notre compréhension de la continence. La majeure partie des interventions

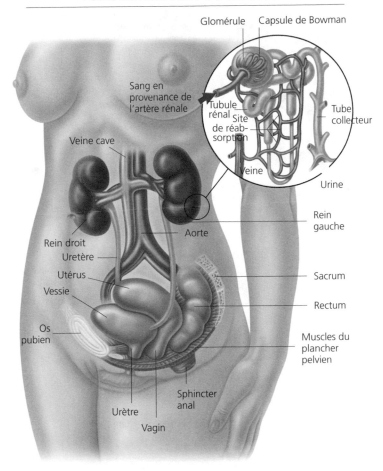

Anatomie de l'appareil urinaire type chez la femme et agrandissement du néphron. Les reins filtrent le sang et évacuent les déchets dans l'urine.

chirurgicales reposent également sur la théorie de la transmission de la pression abdominale.

Le fonctionnement de la vessie est fort complexe. Il exige la coordination de plusieurs parties du cerveau et fait intervenir des activités volontaires et involontaires.

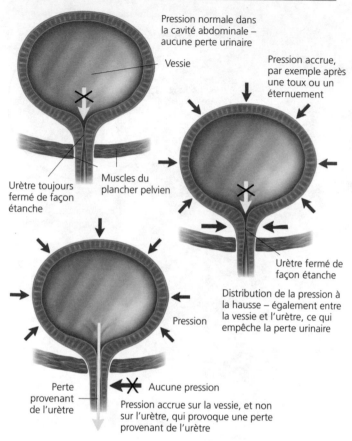

Pression normale dans la cavité abdominale – aucune perte urinaire

Vessie

Pression accrue, par exemple après une toux ou un éternuement

Urètre toujours fermé de façon étanche

Muscles du plancher pelvien

Urètre fermé de façon étanche

Distribution de la pression à la hausse – également entre la vessie et l'urètre, ce qui empêche la perte urinaire

Pression

Perte provenant de l'urètre

Aucune pression

Pression accrue sur la vessie, et non sur l'urètre, qui provoque une perte provenant de l'urètre

Théorie de la transmission de la pression dans la cavité abdominale/pelvienne.

Examinons plus en détail le sphincter urétral, qui comporte deux parties aux fonctions distinctes. Le sphincter interne se compose de muscles involontaires que le cerveau fait fonctionner de façon inconsciente. Il maintient une pression constante qui assure la fermeture de l'urètre. La paroi de l'urètre aide le sphincter grâce à de nombreux replis qui, une fois comprimés, forment un sceau étanche. Le sphincter externe est constitué de muscles soumis à un plus grand contrôle volontaire. Il peut, avec le plancher pelvien, se contracter de façon consciente afin d'éviter tout écoulement involontaire. Il peut se contracter très fort, mais pour de courts moments seulement. Le muscle se fatigue rapidement, ce qui explique que la perte d'urine ne survient parfois qu'au troisième ou au quatrième éternuement.

Apprentissage du contrôle de la vessie

Le nouveau-né vide sa vessie toutes les heures en moyenne par réflexe, c'est-à-dire que la vessie se vide d'elle-même lorsqu'elle est pleine. Seuls la vessie et les nerfs qui la relient à la moelle épinière interviennent; le cerveau ne joue aucun rôle à ce stade. Les nerfs sensoriels perçoivent une stimulation lorsque la vessie se remplit. Du fait qu'ils sont raccordés aux nerfs moteurs, ils entraînent la contraction de la vessie. L'urètre se détend et laisse l'urine s'écouler. La vessie se remplit et se vide tout de suite. Elle ne sert pas encore à emmagasiner l'urine.

Alors que le bébé vieillit, son cerveau se développe et, vers l'âge de deux ans, il commence à capter les messages des nerfs sensoriels. Le cerveau peut alors supprimer l'influx nerveux causant la contraction de la vessie, ce qui interrompt aussi le spasme permictionnel. La capacité de la vessie augmente, et cette dernière devient un organe de stockage. Pendant l'apprentissage de la propreté, l'enfant acquiert un comportement acceptable et il commence à utiliser les parties de son cerveau qui influent sur le contrôle de sa vessie.

Les fonctions cérébrales supérieures du cerveau peuvent aussi agir sur la vessie, par exemple, donner envie d'uriner au son de l'eau qui coule.

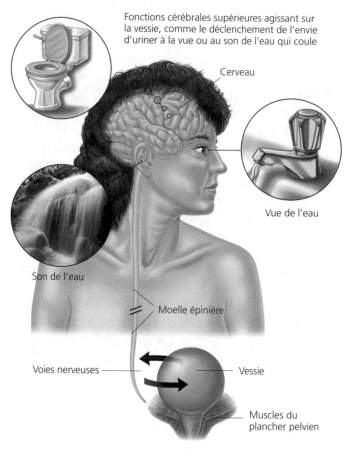

Fonctions cérébrales supérieures agissant sur la vessie, comme le déclenchement de l'envie d'uriner à la vue ou au son de l'eau qui coule

Cerveau

Vue de l'eau

Son de l'eau

Moelle épinière

Voies nerveuses

Vessie

Muscles du plancher pelvien

Avec l'âge, le cerveau apprend à contrôler le spasme permictionnel et vide la vessie, qui devient un organe de stockage.

Qu'entend-on par fonctionnement normal de la vessie ?

Le fonctionnement de la vessie consiste essentiellement en deux phases distinctes : d'abord le remplissage et le stockage, puis l'élimination (la miction).

Lors du remplissage, l'urètre se comprime entièrement tandis que la vessie se détend et s'étire. Durant la miction, l'urètre se relâche juste avant la contraction du détrusor dans la paroi vésicale. L'urine est alors poussée vers l'extérieur à travers l'urètre.

La fréquence de miction est relative à la quantité d'urine générée et à la quantité d'urine que la vessie peut contenir. Si une personne boit 1,5 L de liquide par jour, et si sa vessie peut en contenir 400 mL, elle la videra environ quatre fois par jour. Si sa vessie ne peut contenir que 100 mL, elle devra la vider en moyenne 15 fois. Une personne qui boit le double de liquide urinera deux fois plus souvent. La fréquence habituelle de miction est établie à sept fois par jour ou pas plus souvent qu'aux deux heures. La vessie des jeunes femmes retient habituellement entre 400 et 600 mL d'urine. Avec le vieillissement, la capacité de la vessie tend à diminuer, ce qui fait augmenter la fréquence de miction, surtout la nuit.

Comment les problèmes peuvent-ils se manifester ?

Des dommages au col de la vessie et aux sphincters de l'urètre (qui se produisent surtout au moment de l'accouchement) peuvent nuire à la rétention de l'urine dans la vessie. Le col de la vessie peut aussi descendre s'il manque de support, ce qui aggrave le problème. Ce problème peut suivre un accouchement ou encore découler d'un épuisement musculaire (constipation, toux chronique).

Il arrive aussi que la vessie soit instable ou hyperactive (phénomène connu sous le nom de suractivité du détrusor). La cause demeure non définie, mais il semble y avoir un lien avec la disparition du spasme permictionnel, les dommages aux nerfs provoqués par l'accouchement ou une chirurgie antérieure. Tout ce qui influe sur les parties du cerveau qui modifient l'activité de la vessie peut agir sur la fonction vésicale; par exemple, un accident vasculaire cérébral ou une blessure à la moelle épinière peut faire cesser les connexions entre les parties supérieures du cerveau et la partie inférieure de la moelle, ce qui ramène le réflexe d'évidement automatique de la vessie présent chez le nourrisson, une miction incomplète ou une perte de contrôle de la vessie.

Toute masse qui exercerait une pression sur la vessie, notamment des fibromes ou des fèces accumulées dans

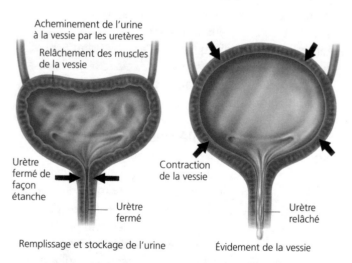

Acheminement de l'urine
à la vessie par les uretères

Relâchement des muscles
de la vessie

Urètre fermé de façon étanche

Urètre fermé

Remplissage et stockage de l'urine

Contraction de la vessie

Urètre relâché

Évidement de la vessie

Fonctionnement normal de la vessie.

le rectum à cause de la constipation, peut engendrer des problèmes. Nous traiterons de ces derniers plus en détail ultérieurement.

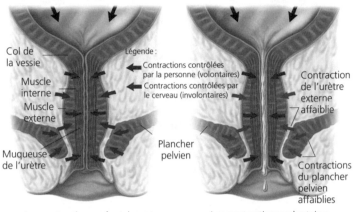

Légende :
← Contractions contrôlées par la personne (volontaires)
← Contractions contrôlées par le cerveau (involontaires)

Col de la vessie
Muscle interne
Muscle externe
Muqueuse de l'urètre
Plancher pelvien
Contraction de l'urètre externe affaiblie
Contractions du plancher pelvien affaiblies

Les contractions volontaires et involontaires assurent une vessie continente

Les contractions volontaires affaiblies causent l'incontinence de la vessie

Fonctionnement de l'urètre et du plancher pelvien

POINTS CLÉS

- Le contrôle normal de la vessie est très complexe.

- Le contrôle de la vessie s'acquiert à un très jeune âge.

- La fréquence de miction est relative à la quantité de liquides absorbés et à la capacité de stockage de la vessie.

- La continence dépend d'une bonne position du col de la vessie, du contrôle nerveux, d'une coordination normale et de l'état d'esprit d'une personne (les personnes inconscientes ou atteintes de démence ne peuvent pas maîtriser leur vessie).

Pourquoi l'incontinence urinaire touche-t-elle surtout les femmes ?

Comme nous l'avons vu précédemment, l'incontinence urinaire est une condition qui peut se manifester chez n'importe qui. Cependant, il y a plusieurs raisons qui expliquent pourquoi elle touche surtout les femmes.

Grossesse

Durant une grossesse, l'organisme s'adapte en vue de bien alimenter à la fois le fœtus et la mère. La vessie et le bassin de la femme subissent plusieurs changements durant cette période.

L'un des premiers effets d'une grossesse est l'accroissement du volume d'urine produite par les reins. Cela amène très tôt des envies d'uriner plus fréquentes. D'autres effets hormonaux entraînent un relâchement général des tissus du pelvis, qui rend ce dernier plus souple durant la grossesse et l'accouchement. Il arrive que la vessie se vide moins bien durant une grossesse en raison de la pression qu'elle subit. Ces changements pourraient réduire les défenses naturelles de l'organisme contre les bactéries et accroître la fréquence des infections urinaires.

À mesure que l'utérus se distend, la pression accrue sur la vessie donne envie d'uriner plus souvent. Environ un tiers des femmes enceintes vont connaître des épisodes de pertes d'urine. Ces pertes s'arrêtent après la naissance du bébé et n'ont pas de lien avec l'incontinence urinaire provoquée par l'accouchement.

La grossesse peut aussi avoir comme effet d'endommager les nerfs qui contrôlent les muscles du bassin. Les dommages semblent persister chez certaines femmes, ce qui serait à l'origine de problèmes d'incontinence urinaire ultérieurs.

Accouchement et allaitement

L'accouchement à lui seul peut endommager les muscles et les structures de soutien du bassin. Quand le bébé s'engage dans le vagin, les parois du vagin et les muscles

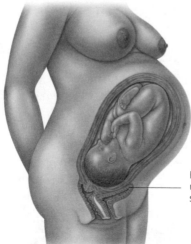

Pression provenant d'un utérus élargi qui s'appuie sur la vessie

La grossesse accentue la pression sur la vessie.

du plancher pelvien se distendent. Ces muscles et ces tissus en gardent parfois des séquelles, ce qui amoindrit le soutien de l'utérus (la matrice) et du col de la vessie, en plus de risquer de produire un prolapsus utérin.

Le passage du bébé dans la filière pelvienne peut endommager le nerf honteux interne qui contrôle les muscles du plancher pelvien et longe l'extrémité du canal. C'est une autre cause possible d'incontinence urinaire.

L'allaitement aide la mère à perdre le poids accumulé durant la grossesse; il transmet également des éléments nutritionnels importants et des anticorps au nourrisson. De plus, l'allaitement tend à repousser la reprise des règles. Certaines femmes l'utilisent comme méthode de contraception du fait qu'elles ont peu de chances d'avoir une ovulation pendant ce temps. Ce délai dans le retour à un fonctionnement normal des ovaires signifie également un faible taux d'œstrogène. Avec moins d'œstrogène, le bassin peut mettre plus de temps à guérir s'il y a eu des dommages, car les tissus pelviens sont sensibles à l'œstrogène.

À l'heure actuelle, il est impossible de prédire quelles femmes vont souffrir d'incontinence urinaire après un accouchement. De nombreux facteurs peuvent influer sur les effets de l'accouchement sur le bassin, entre autres le nombre d'enfants mis au monde, le type d'accouchement vécu, la masse du bébé, ainsi que la durée du travail et des poussées. Le premier accouchement vaginal est celui qui comporte le plus de risques; cela dit, la plupart des femmes n'éprouvent aucun symptôme à long terme. Certaines techniques d'accouchement, par forceps ou ventouses obstétricales, présentent plus de risques que l'accouchement naturel. La césarienne semble éviter certains effets indésirables, quoique ses bienfaits s'estompent après plusieurs grossesses.

Les exercices du plancher pelvien semblent contribuer à réduire les risques d'incontinence urinaire après un

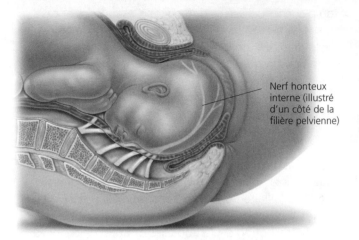

Nerf honteux interne (illustré d'un côté de la filière pelvienne)

L'accouchement peut endommager le nerf honteux interne et mener à l'incontinence urinaire.

accouchement (voir Cerner le problème, à la p. 20). Ces exercices doivent être bien enseignés et effectués fréquemment. Bon nombre de médecins estiment que faire ces exercices avant l'accouchement peut aider à prévenir les symptômes. Bien sûr, il faut continuer de les faire après la naissance du bébé pour en maximiser l'efficacité.

Ménopause

À la ménopause, les ovaires cessent de fonctionner et le taux d'œstrogène sanguin chute de façon radicale. Cela peut produire des symptômes courants de la ménopause, telles les bouffées de chaleur et les sueurs nocturnes. Cela peut aussi agir sur les tissus pelviens, sensibles à l'œstrogène. À mesure que le taux d'œstrogène baisse, les muscles et les tissus du bassin s'amincissent et perdent de leur force. C'est vrai notamment pour le collagène de la peau, une protéine support. On peut alors observer une perte de soutien des organes pelviens comme la vessie, les intestins et l'utérus, et parfois un prolapsus vaginal.

L'hormonothérapie substitutive peut aider à renverser ces changements, sans toutefois régler le problème, car le collagène affaibli ne retrouve jamais toute sa force.

La vaginite atrophique, qui cause l'affaiblissement et l'inflammation des parois vaginales, est un autre effet à long terme d'une réduction d'œstrogène. Elle cause des démangeaisons et de la douleur. La vaginite atrophique peut avoir un lien avec une variation des bactéries à l'intérieur du vagin. L'inconfort vaginal peut entraîner une irritation autour de l'urètre, donc des mictions plus fréquentes.

Probabilité accrue d'infections

L'anatomie du pelvis de la femme augmente la probabilité de souffrir d'infections de la vessie, car l'urètre, soit le passage entre la vessie et l'extérieur, est assez court. Cela facilite l'accès des bactéries à la vessie. Les rapports sexuels favorisent aussi la pénétration des bactéries en les poussant davantage dans le bassin durant les relations.

POINTS CLÉS

- Les femmes souffrent davantage d'incontinence urinaire.

- Des changements hormonaux durant la grossesse et la ménopause peuvent causer des problèmes d'incontinence urinaire.

- L'accouchement peut endommager les nerfs et les tissus.

- L'anatomie de son pelvis rend la femme plus sujette aux infections de la vessie que l'homme.

Cerner le problème

Où trouver de l'aide

Vous devriez consulter si vous souffrez d'incontinence urinaire, même légère, et que cela diminue votre qualité de vie. Parlez d'abord à votre omnipraticien. Il est en mesure de diagnostiquer la cause du problème, une infection urinaire par exemple, et de vous prescrire le traitement approprié. Le plus souvent, il vous référera à un expert de votre hôpital régional ou du Continence Advisory Service (en Angleterre) de votre région, qui

Votre omnipraticien est le principal intervenant à consulter si vous souffrez d'incontinence urinaire.

évaluera votre cas. Cet organisme traite la plupart des personnes de la communauté grâce à un réseau de cliniques locales où les spécialistes travaillent de concert avec les omnipraticiens et les services de soins hospitaliers (services britanniques). Les experts-conseils en incontinence consistent en un groupe de professionnels de la santé spécialisés dans le traitement de l'incontinence urinaire, entre autres des infirmières diplômées qui ont une grande compétence dans l'évaluation et le traitement du problème. Elles se chargent habituellement d'enseigner les exercices du plancher pelvien, l'entraînement de la vessie et l'autocathétérisme; elles font aussi le suivi des patients.

Les experts-conseils régionaux (Grande-Bretagne) sont aussi responsables de fournir des produits et accessoires (voir la p. 81). Cela se fait en collaboration avec les autorités de la santé qui fournissent des tampons, des culottes ou d'autres dispositifs appropriés aux infirmières.

Évaluation du problème

Comme nous l'avons vu précédemment, les causes de l'incontinence sont multiples et, avant de commencer un traitement, le médecin doit s'assurer de trouver la cause de votre problème.

Un examen vérifiant la présence d'une infection urinaire est d'abord de mise, car c'est un problème facile à traiter. Mal diagnostiquée, une infection peut fausser les résultats d'analyses urodynamiques ultérieures.

Le but principal de ces analyses est de déterminer si vous êtes aux prises avec une incontinence urinaire d'effort causée par un affaiblissement du col de la vessie ou avec une incontinence urinaire par miction impérieuse, qui résulte d'une vessie instable. Les symptômes à eux seuls ne permettent pas toujours de les distinguer, car ils peuvent varier. En outre, une personne peut souffrir de diverses formes d'incontinence. On peut alors commencer un traitement et le faire suivre d'autres analyses afin d'en vérifier l'efficacité et le progrès.

L'analyse peut aussi révéler d'autres types plus rares d'incontinence. Les femmes ayant des infections récurrentes ou d'autres symptômes touchant la vessie devront subir plus de tests avant de recevoir le traitement approprié.

Analyses simples

Voici un moyen simple d'évaluer le fonctionnement de la vessie : tenez pendant cinq jours un journal où vous indiquez la quantité de liquide que vous avalez, la quantité d'urine que vous évacuez ainsi que vos épisodes d'incontinence. Ce journal représente fidèlement le fonctionnement actuel de votre vessie. Il met parfois en lumière la cause de l'incontinence; par exemple, une personne qui fait du diabète boira plus et urinera plus souvent. Le journal peut aussi révéler un apport insuffisant de liquide, qui produit une urine plus concentrée irritant la vessie et fait apparaître des symptômes de fréquence et d'urgence. En outre, un manque de liquide prédispose aux infections urinaires, car le fait d'uriner moins souvent réduit vos défenses naturelles contre les bactéries qui veulent pénétrer dans la vessie.

On peut mesurer les pertes par incontinence urinaire à l'aide d'une serviette hygiénique d'une masse donnée. La serviette est portée pendant une heure avec la vessie pleine. Au cours de cette heure, vous devrez effectuer des exercices simples comme vous asseoir, puis vous lever, monter et descendre des escaliers ou vous laver les mains. La serviette est ensuite pesée afin de déterminer le volume d'urine échappé.

Tableau de fréquence et de volume du Kings College Hospital (Angleterre)

	Jour 1			Jour 2			Jour 3			Jour 4			Jour 5		
	Ing.	Excr.	Inc.	Ing.	Excr.	Inc.	Ing.	Excr.	Inc.	Ing.	Excr.	Inc.	Ing.	Excr.	Inc.
6 h															
7 h				175	400		175	300			250		175	300	
8 h	175	350		175			175			175					
9 h									W						
10 h										175					
11 h	160			175	250		160	200		160	150			150	
12 h	160		W												
13 h	200	300		160			160	100		160	100		160	50	
14 h				160	150					160					
15 h								50			100				
16 h	175			175	150		175			175	50		175	200	
17 h			W												
18 h	175	200		160			200	100		175			160	150	
19 h					200		200	150			150				
20 h								150		200					
21 h	175	200		175						175			160		
22 h					225		175		W		250			300	
23 h		150						250			100				
0 h															
1 h															
2 h															
3 h															
4 h								100							
5 h															

Ing./Excr./Inc. = Ingesta/Excreta/Incontinence

Le médecin peut vous demander de remplir un tableau de fréquence et de volume. Vous y consignez votre apport en liquides (ingesta), la quantité d'urine évacuée (excreta) et les pertes d'urine (incontinence) pendant une journée.

Tests urodynamiques

Les tests de base effectués en vue d'évaluer le fonctionnement de la vessie sont dits urodynamiques. Ces tests mesurent la relation entre la pression et le volume dans la vessie, et permettent de vérifier si les résultats sont normaux.

Pour les tests urodynamiques, vous devez vous présenter à la clinique avec une vessie pleine. On vous demande d'uriner dans une toilette qui mesure le débit urinaire. Après cette étape, vous subissez un examen et on insère un transducteur de pression (détecteur) dans votre vessie et un autre dans le votre rectum. Bien que ce soit gênant, ça ne cause pas de douleur. On remplit la vessie par cathéter en moins de cinq minutes. On enregistre la pression exercée sur les deux transducteurs pendant le test. Lorsque la vessie est de nouveau

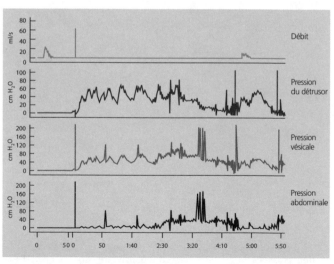

Les tests urodynamiques mesurent la relation entre la pression abdominale et le volume d'urine dans la vessie.

pleine, on vous fait faire des actions simples, comme tousser ou sauter, en vue de vérifier les variations de pression et s'il y a des pertes d'urine. Enfin, vous videz votre vessie dans une toilette conçue à cet effet avec les transducteurs toujours en place. On mesure ainsi la pression dans la vessie durant la miction.

Personne ne se réjouit à l'idée de subir de tels tests, mais ils se déroulent assez facilement et dans le respect. Les médecins ou les infirmières qui les exécutent ont de l'expérience et s'efforcent de rendre ce test le plus confortable possible.

Dans certains hôpitaux, la cystométrie (mesure de la pression et du volume de la vessie lorsqu'elle est pleine et durant la miction) peut se faire à l'aide de radiographies afin d'évaluer la relation entre le col de la vessie et l'incontinence durant la toux. Ce test est particulièrement utile chez la femme qui a déjà subi une chirurgie ou vécu des complications. On le connaît sous le nom de vidéo-urodynamique.

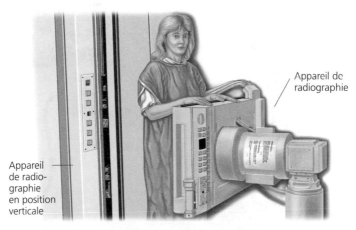

Appareil de radiographie

Appareil de radiographie en position verticale

Patient soumis à une radiographie du bassin.

Les résultats des tests urodynamiques ont leurs limites, car ils ne fournissent qu'une image instantanée de la fonction vésicale durant une courte période, soit les 20 minutes que dure le test. L'examen urodynamique ambulatoire permet de répliquer les conditions qui provoquent le problème dans le cadre d'un test. On laisse habituellement quatre heures à la vessie pour se remplir de façon naturelle au lieu d'un remplissage rapide par cathéter. Quelques hôpitaux du Royaume-Uni procèdent à ce test.

Technique d'imagerie médicale

Il existe deux méthodes courantes pour déceler si d'autres parties des voies urinaires ont subi des dommages. Ces tests ont pour but de dépister des dommages provoqués par des infections ou le passage de l'urine en sens inverse dans l'uretère, depuis la vessie jusqu'aux reins. Les tests permettent aussi de vérifier la présence de calculs rénaux.

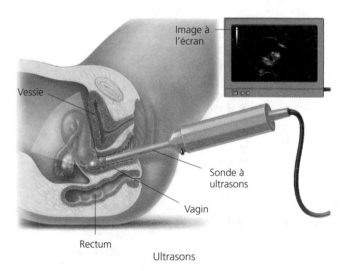

Image à l'écran

Vessie

Sonde à ultrasons

Vagin

Rectum

Ultrasons

Le premier test est l'urographie intraveineuse. Il consiste en l'injection d'un colorant dans une veine du bras, qui sera par la suite éliminé par les reins. Une série de radiographies sont faites à des intervalles réguliers. Le colorant souligne le contour des reins, des uretères et de la vessie, ce qui permet d'observer l'anatomie de toute la région. La deuxième méthode est une technique de balayage par ultrasons destinée à étudier la vessie et les reins (voir la p. 26).

Cystoscopie

On procède à la cytoscopie en vue d'observer l'intérieur de la vessie. Le cytoscope est un minuscule télescope inséré dans la vessie en passant par l'urètre.

Il existe deux types de cytoscopes : le premier est souple et utilisé sous anesthésie locale; le second est rigide et demande une anesthésie générale. L'avantage du cytoscope rigide est qu'il permet de faire des prélèvements de la paroi vésicale durant le test.

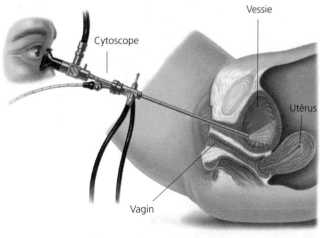

Examen cytoscopique du vagin

Tests nerveux

Dans de rares cas, on effectue un test afin d'évaluer les nerfs des muscles du col de la vessie. Ce test, appelé électromyographie, consiste en l'insertion d'une fine électrode (aiguille) dans le muscle de l'urètre en vue d'en mesurer l'activité électrique.

POINTS CLÉS

- Un examen s'avère nécessaire afin de distinguer entre une incontinence urinaire d'effort, une suractivité du détrusor ou une incontinence découlant d'autres causes.

- Un tableau de fréquence et de volume urinaires (journal) est une façon simple de tracer le profil normal de la fonction vésicale.

- Les tests urodynamiques sont des tests standard d'évaluation de la fonction vésicale.

- La cystométrie étudie la relation entre la pression et le volume dans la vessie.

Incontinence urinaire d'effort

Le type d'incontinence urinaire le plus courant est l'incontinence d'effort, qui touche entre 40 et 50 % des femmes. La perte d'urine survient lors d'un effort comme la toux, l'éternuement ou la pratique d'un sport.

Les cas plus graves affichent une perte d'urine à la moindre pression sur la vessie. En revanche, d'autres femmes n'éprouvent ce problème qu'au moment d'un effort soutenu durant une activité sportive. La crainte d'échapper de l'urine pousse souvent les femmes à interrompre toutes les activités quotidiennes qui accentuent ce problème, notamment faire de la danse d'aérobie ou jouer avec leurs petits-enfants; dans ce cas, l'incontinence urinaire est plutôt limitative.

Bien des femmes gèrent ce problème en vidant leur vessie de façon régulière afin d'évacuer l'urine qui s'y est accumulée pour limiter les accidents. Elles peuvent ainsi éviter les pertes urinaires gênantes et poursuivre leurs activités en portant des serviettes hygiéniques. Malheureusement, il arrive qu'elles doivent utiliser les toilettes des commerces jusqu'à la maison; au travail, des visites fréquentes à la salle de bain peuvent devenir embarrassantes. D'autres femmes se décident à consulter un spécialiste, car elles ne veulent plus avoir à changer constamment leurs sous-vêtements ni à défrayer le coût onéreux des serviettes.

Quelle est la cause ?

Le plus souvent, l'incontinence urinaire d'effort résulte à la fois d'un affaiblissement du sphincter urétral ou du col de la vessie, qui scelle la vessie entre les mictions, et d'un changement de la position du col. De nombreux facteurs peuvent en être la cause, notamment une perturbation hormonale durant la grossesse et à la ménopause, des dommages causés par l'accouchement, et l'effort associé à une toux chronique ou à la constipation. Plusieurs femmes souffrent simultanément d'incontinence urinaire d'effort et d'incontinence urinaire par miction impérieuse.

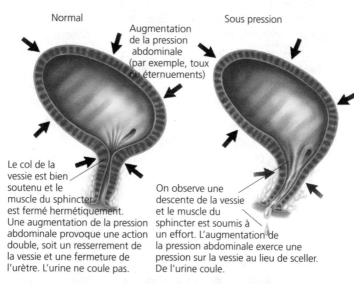

Normal

Augmentation de la pression abdominale (par exemple, toux ou éternuements)

Sous pression

Le col de la vessie est bien soutenu et le muscle du sphincter est fermé hermétiquement. Une augmentation de la pression abdominale provoque une action double, soit un resserrement de la vessie et une fermeture de l'urètre. L'urine ne coule pas.

On observe une descente de la vessie et le muscle du sphincter est soumis à un effort. L'augmentation de la pression abdominale exerce une pression sur la vessie au lieu de sceller. De l'urine coule.

L'incontinence urinaire d'effort résulte d'un affaiblissement du sphincter associé à un changement de position du col de la vessie.

Comme nous l'avons vu précédemment (voir la p. 6), l'urine dans la vessie exerce une pression sur le col vésical, lequel se referme afin de résister à la pression et de retenir l'urine dans la vessie. Et pour assurer l'étanchéité, les sphincters du col vésical doivent rester fermés hermétiquement malgré l'augmentation de la pression produite par la toux, les éternuements ou le rire. En temps normal, la position du col vésical fait en sorte que l'augmentation de la pression causée par une toux s'exerce également sur la vessie et l'urètre. Toutefois, la pression accrue ne s'exerce plus sur l'urètre si le col vésical quitte sa position originale. Le résultat : le mécanisme du sphincter subit une plus grande pression, ce qui mène à un écoulement d'urine.

Les adolescentes sont sujettes à une incontinence gênante appelée « giggle syndrome » dans laquelle des pertes urinaires surviennent lors d'un fou-rire. La cause reste obscure, mais on sait qu'elle ne mène pas à des problèmes majeurs. Rassurez-vous ! Ce type d'incontinence disparaît de lui-même, sans intervention médicale.

Traitement

Il y a plusieurs traitements à l'incontinence urinaire d'effort, allant de la physiothérapie à la chirurgie en passant par la médication. Les médecins doivent d'abord évaluer la condition avant de se prononcer sur le meilleur traitement. Ils doivent savoir quand les pertes se manifestent, ce qui les provoque, et quels sont vos besoins et vos buts. Par exemple, peut-être souhaitez-vous réduire vos pertes urinaires afin d'arriver à contrôler votre problème et améliorer votre qualité de vie sans toutefois recourir à la chirurgie, même si cette option éliminerait votre problème.

Traitements non chirurgicaux
Physiothérapie

Toutes les femmes devraient avoir accès à la physiothérapie. Le type de physiothérapie le plus courant dans
un cas d'incontinence urinaire consiste en des exercices de
renforcement du plancher pelvien. Il s'agit de contracter
les muscles du plancher pelvien par des exercices de répétition et d'endurance afin de rééduquer et de renforcer
les muscles pelviens, ce qui va améliorer le support de la
vessie et de l'urètre. Ces exercices sont à la fois sécuritaires et efficaces, sans effets secondaires. Leur réussite
relève entièrement de votre motivation, d'un bon enseignement au départ et d'un suivi. Ils sont parfaits pour les
femmes en attente d'une chirurgie, celles qui refusent
une intervention chirurgicale ou celles qui ne peuvent
pas en subir une. Les résultats de la physiothérapie ne sont
pas immédiats, et il faut faire les exercices régulièrement
pendant trois à six mois avant d'observer une amélioration, mais les avantages sont énormes à long terme.

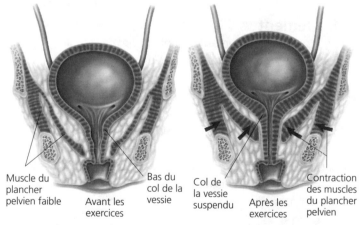

Muscle du plancher pelvien faible   Avant les exercices   Bas du col de la vessie   Col de la vessie suspendu   Après les exercices   Contraction des muscles du plancher pelvien

Les exercices du plancher pelvien rééduquent et renforcent
les muscles, augmentant ainsi le soutien de la vessie et de l'urètre.

Traitements non chirurgicaux

- Exercices du plancher pelvien (physiothérapie)
- Cône vaginal
- Rétroaction biologique
- Thérapie électrique
- Médicaments

Ces exercices doivent être enseignés par des physio-thérapeutes et des experts-conseils sur l'incontinence. Votre omnipraticien peut vous référer à de tels spécia-listes ou vous pouvez consulter un physiothérapeute vous-même, sans consultation médicale. En principe, il faut plusieurs consultations au cours desquelles on vérifie si vous faites bien vos exercices. Cela vous aide aussi à rester motivée. L'évaluation initiale consiste en un examen manuel qui mesure votre capacité de resserrer

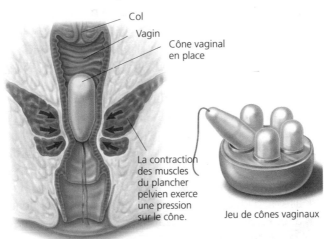

Col

Vagin

Cône vaginal en place

La contraction des muscles du plancher pelvien exerce une pression sur le cône.

Jeu de cônes vaginaux

Les cônes vaginaux avec poids aident à renforcer les muscles du plancher pelvien.

vos muscles. Cela sert à déterminer la force de la contraction ainsi que sa durée maximale et le nombre de répétitions. On peut aussi utiliser le périnéomètre, une sonde vaginale reliée à un manomètre qui enregistre la force de la contraction. Certaines femmes sont incapables de contracter les muscles du plancher pelvien ou bien elles ne reconnaissent pas la sensation de contraction. Ces femmes ont besoin d'aide pour apprendre à faire les exercices.

Les taux de réussite varient, mais avec un bon enseignement et de la motivation, près de 70 % des femmes connaissent une amélioration satisfaisante; en revanche, seulement 25 % sont complètement guéries.

Cônes vaginaux

Les cônes vaginaux avec poids peuvent aussi servir à renforcer les muscles du plancher pelvien. Ils sont particulièrement utiles pour apprendre à reconnaître ces muscles. L'exercice consiste à retenir un cône placé dans le vagin pendant deux séances successives de 15 minutes. On peut utiliser un cône de la même taille, mais plus lourd, pendant la deuxième séance. Un jeu de cônes contient des cônes ayant de trois à cinq masses différentes. Il est plus facile d'apprendre à utiliser les cônes qu'à exécuter les exercices conventionnels du plancher pelvien; de plus, les cônes exigent moins de suivi. Par contre, les exercices du plancher pelvien restent une partie essentielle du traitement. Bon nombre de compagnies de fournitures médicales vendent ces cônes, mais il vaut mieux se les procurer par l'intermédiaire d'un expert-conseil en incontinence urinaire ou d'un physiothérapeute, car ils ne conviennent pas à toutes les femmes. Il faut donc se soumettre à une évaluation au préalable.

Dans le cas d'un prolapsus majeur, par exemple, les cônes peuvent être utilisés sans pour autant renforcer les muscles du plancher pelvien et seraient par conséquent inutiles.

Rétroaction biologique

La rétroaction biologique peut aider les femmes à mieux ressentir les muscles de leur plancher pelvien. L'utilisation d'un périnéomètre, décrit précédemment, est un exemple de rétroaction biologique, car le fait de voir les variations dans la lecture du manomètre permet de reconnaître la sensation de contraction musculaire au niveau du plancher pelvien. De là, les femmes peuvent apprendre à mieux contrôler leurs muscles.

Thérapie électrique

Il existe à l'heure actuelle trois types de thérapies électriques, soit le traitement interférentiel, la faradisation et l'électrostimulation (ES) maximale. Les différences entre ces diverses formes de stimulation, quoique mineures, permettent des applications légèrement différentes. Il revient au professionnel de la santé de choisir celle qui convient. Le traitement interférentiel est surtout utilisé dans le milieu hospitalier et fonctionne par l'envoi de courant dans quatre électrodes, produisant ainsi une interférence. Ce traitement peut être utilisé pour l'incontinence urinaire mixte ou par miction impérieuse. La faradisation et l'électrostimulation emploient une ou deux électrodes et présentent l'avantage d'être utilisés à domicile après une période de formation. Ces méthodes procurent une stimulation musculaire « passive » dans le but d'augmenter le tonus musculaire et d'aider la femme de reconnaître ses muscles du plancher pelvien. Ce traitement peut se faire sous surveillance médicale ou à la maison. La stimulation engendre une contraction des muscles du plancher pelvien, et à mesure qu'on prend conscience de ces muscles, on reconnaît leur emplacement et leurs fonctions inhérentes.

Médicaments (pharmacothérapie)

Par le passé, on considérait les traitements par médicaments comme inutiles pour régler les cas d'incontinence urinaire d'effort causée par un affaiblissement des muscles du col vésical. Cependant, dans les cas d'insuffisance en œstrogène, l'hormonothérapie à l'œstrogène peut accroître les chances de réussite d'autres formes de traitements comme les exercices du plancher pelvien. L'hormonothérapie à l'œstrogène renforce les tissus du col de la vessie, du vagin et du bassin, lesquels avaient perdu de la vigueur en raison du manque d'œstrogène. Il ne s'agit cependant pas d'un traitement de l'incontinence urinaire à proprement parler.

La phénylpropanolamine, qu'on retrouve dans certains remèdes contre le rhume, est un médicament utilisé à l'occasion, quoique rarement. Elle aide artificiellement le muscle du col de la vessie à se contracter afin de rester scellé hermétiquement. Ce médicament, tout comme l'œstrogène, est utilisé de pair avec d'autres traitements à l'intérieur d'un plan général de soins. Par contre, son utilisation est limitée, car il semble que les exercices du plancher pelvien soient plus efficaces, et ce, sans effets indésirables.

Il y a à l'heure actuelle un autre médicament disponible contre l'incontinence urinaire d'effort. Le chlorhydrate de duloxétine est un médicament dont les propriétés sont semblables au Prozac[MD] (fluoxétine). Il active le muscle en stimulant davantage les nerfs situés au bas de la colonne vertébrale.

Ses principaux effets secondaires sont la nausée, qui touche une femme sur cinq, et l'insomnie. C'est un médicament plutôt doux. Il aide près de la moitié des femmes et réduit de 50 % en moyenne les épisodes de fuites urinaires.

Le principal avantage du chlorhydrate de duloxétine est qu'il propose une nouvelle option aux femmes qui veulent éviter la chirurgie et à celles qui ne peuvent pas en subir une. Ce médicament pourrait s'avérer utile au début des exercices du plancher pelvien en renforçant leur effet dès le départ.

Traitement par chirurgie

Plus de 250 interventions chirurgicales différentes pour le traitement de l'incontinence ont été décrites à ce jour. On tient compte d'un grand nombre de facteurs avant de décider de l'intervention à faire auprès de chaque patiente. Est-ce une première chirurgie ? Quels établissements de la région peuvent procéder à cette chirurgie ? Quels sont les buts de la patiente ? Toute chirurgie comporte des risques de complications, lesquels sont proportionnels à l'ampleur de l'intervention.

Parfois, les patientes préfèrent subir une intervention mineure, plus simple et plus rapide, même si les taux de réussite sont plus faibles. Le temps de convalescence est aussi plus court pour les interventions mineures.

Traitements chirurgicaux

- Injections dans le col vésical
- Corrections vaginales, y compris l'ostéophytose
- Suspensions du col vésical
- Colposuspensions
- Bandelette

On classe généralement en cinq catégories les interventions relatives à l'incontinence. Dans certains cas, le chirurgien doit faire une incision dans la cavité abdominale, alors que dans d'autres, il procède par le vagin.

Les interventions de type abdominal ont un meilleur taux de réussite que les autres types de chirurgie. La convalescence est cependant plus longue. Ce sont des opérations majeures du fait qu'on pratique une incision dans la paroi abdominale, juste au-dessus des poils pubiens.

Bandelette

Le chirurgien place une bandelette sous l'urètre et la rattache aux parois abdominales. Les bandelettes se composent de divers matériaux, par exemple les auto-greffons (bandelettes de substances prélevées dans une autre partie de l'organisme, comme la gaine du muscle grand droit) ou les matériaux synthétiques comme le Teflon^{MD} et le Goretex^{MD}. L'intervention par bandelette fait partie des interventions qui nécessitent une incision dans l'abdomen.

Depuis dix ans environ, un nouveau type de bandelette appelé « bandelette vaginale à tension libre » (TVT)

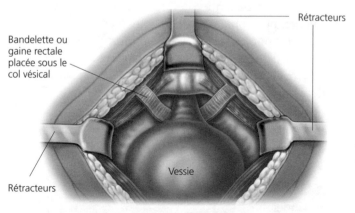

Rétracteurs

Bandelette ou gaine rectale placée sous le col vésical

Vessie

Rétracteurs

Intervention avec bandelette

est l'outil le plus couramment utilisé. Comme pour 15 autres interventions du même type, la patiente peut rester éveillée pendant l'installation d'une TVT.

Une nouvelle forme de chirurgie avec bandelette a vu le jour au cours des deux dernières années, la bandelette posée par voie transobturatrice (TOT). La différence avec l'intervention utilisant une TVT réside dans la direction donnée à la bandelette. En outre, ces bandelettes semblent plus sécuritaires et faciles à manipuler que les premières, bien que leur rôle et leur efficacité soient toujours à l'étude.

Les bandelettes TVT semblent donner d'aussi bons résultats que la chirurgie conventionnelle, bien qu'on ne connaisse pas encore leurs effets à long terme. Plusieurs autres compagnies vendent des bandelettes semblables.

Colposuspension

La colposuspension est en fait un support physique du vagin. Cette technique s'effectue en séparant soigneusement le col de la vessie de ses attaches et en le cousant aux parois latérales. Ces sutures sont ensuite rattachées

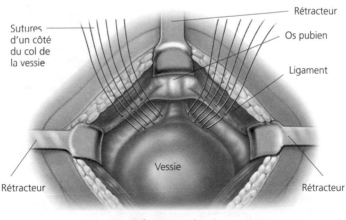

Sutures d'un côté du col de la vessie

Rétracteur

Os pubien

Ligament

Rétracteur

Vessie

Rétracteur

Rétracteur

Colposuspension

aux ligaments ou à l'os pubien lui-même à l'intérieur du bassin. L'intervention se fait à partir d'une incision abdominale au-dessus des poils pubiens. La convalescence s'en trouve plus longue que pour les interventions vues précédemment.

Injections dans le col vésical

L'injection dans le col vésical demeure l'intervention la plus simple. Il s'agit d'injecter un agent gonflant dans le col de la vessie. Certains chirurgiens pratiquent cette intervention sous anesthésie locale en chirurgie d'un jour, mais il est plus courant de faire une anesthésie générale. Il y a actuellement quatre ou cinq solutions injectables sur le marché.

Ce type d'intervention vise à renforcer la résistance du col vésical en le resserrant pour réduire l'écoulement d'urine. Cependant, son taux de guérison totale est

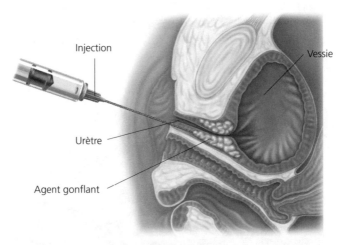

Injection

Vessie

Urètre

Agent gonflant

L'injection dans le col vésical consiste à injecter un agent gonflant dans la partie qui entoure le col de la vessie en vue de procurer un soutien et d'augmenter la pression sur l'urètre.

plutôt faible, bien que l'on constate plus souvent qu'autrement une certaine amélioration. On peut refaire l'intervention assez facilement et elle ne laisse pas de cicatrices notables.

Dans de très rares cas suivant l'intervention, certaines femmes auront plus de difficulté à vider leur vessie entièrement, mais ce phénomène est temporaire. La majorité des femmes tolèrent bien les injections et ressentent peu d'inconfort.

Réparation par le vagin

Le but de la réparation par le vagin est de repositionner la vessie et l'urètre en les poussant vers le haut. Ce type d'intervention sert à réparer un prolapsus (une partie du vagin ou de l'utérus s'est affaissée dans le bassin) ou à suspendre le col de la vessie pour rétablir la continence en replaçant la vessie dans la bonne position.

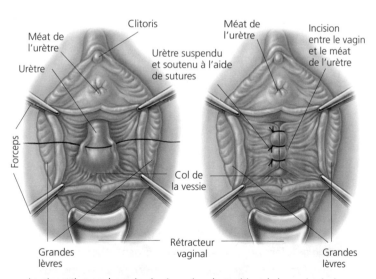

La réparation par le vagin vise à corriger la position de la vessie ainsi que celle de l'urètre en les soulevant du plancher pelvien.

La réparation par le vagin est une intervention simple, et la patiente se rétablit rapidement. Cette procédure connaît un taux élevé de réussite immédiate et se classe en deuxième place pour le type d'intervention le plus courant. Des études récentes ont cependant remis en question son taux de réussite à long terme.

Suspension du col vésical

Cette intervention a pour but de soulever le col de la vessie en pratiquant deux sutures de chaque côté du col pour le fixer au muscle supérieur de la paroi abdominale. Ce type d'intervention est assez simple, facile à effectuer et ne présente qu'un faible taux de complications.

Certaines femmes éprouvent des problèmes de miction après une suspension du col de la vessie. Le col de la vessie a peut-être été trop relevé, ou il peut être partiellement obstrué; il s'agit cependant d'un problème temporaire. On effectue rarement ce type d'intervention de nos jours.

Après la chirurgie

L'un des effets secondaires les plus communs après une chirurgie est une obstruction temporaire qui cause de la difficulté à vider sa vessie. À court terme, cela survient chez environ 20 % des femmes, mais pour la plupart d'entre elles, il ne s'agit que d'un léger contretemps; leur miction revient vite à la normale. Un réapprentissage de la façon adéquate de vider la vessie, soit s'asseoir avec les jambes écartées et se pencher vers l'avant, est parfois nécessaire.

Certaines femmes ont besoin d'une période de cathétérisme plus longue (voir la p. 54) pour garder leur vessie au repos (de 10 à 14 jours). À l'occasion, on enseigne aux femmes comment se servir d'un cathéter si les problèmes de miction persistent. La technique est à toutes fins pratiques aussi simple que de changer un tampon hygiénique.

La plupart des femmes s'entendent sur le fait que l'autocathétérisme est moins stigmatisant ou qu'il cause moins de perte d'estime de soi que l'incontinence urinaire. Parfois, il est possible de prédire qui présente des risques de problèmes de miction avant la chirurgie. Dans ces cas, on peut enseigner les techniques d'autocathétérisme avant l'intervention. (Voir la p. 54 pour plus d'information au sujet de l'autocathétérisme.)

L'apparition de symptômes d'irritation, comme la fréquence de miction et l'incontinence urinaire par miction impérieuse, est une autre complication pouvant suivre les chirurgies. Cela survient chez 10 % des femmes. Personne n'en connaît la cause et le problème est imprévisible. Il est probable que les complications soient récurrentes ou qu'elles s'aggravent après la chirurgie si vous présentiez des symptômes d'incontinence urinaire au préalable.

Utilisation de dispositifs contre les fuites urinaires

Une autre approche pour gérer l'incontinence urinaire d'effort consiste à ne pas nécessairement se concentrer sur la guérison, mais à utiliser des dispositifs conçus pour limiter les fuites. Il est apparu plusieurs de ces dispositifs sur le marché au cours des dernières années, sans grand succès. Ils ne sont pas offerts partout. On verra peut-être réapparaître de tels dispositifs dans le commerce à l'avenir, sous forme jetable et pourquoi pas en vente libre.

L'un de ces dispositifs (Reliance) sert de barrière physique à l'urètre. Il est retenu en place par un petit ballonnet au site du col de la vessie et reste dans l'urètre comme un cathéter. La taille du dispositif doit être

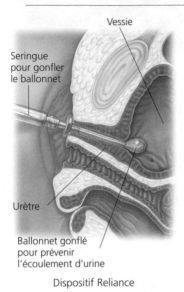

Vessie

Seringue
pour gonfler
le ballonnet

Urètre

Ballonnet gonflé
pour prévenir
l'écoulement d'urine

Dispositif Reliance

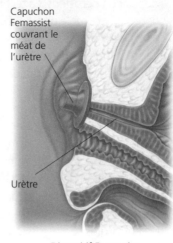

Capuchon
Femassist
couvrant le
méat de
l'urètre

Urètre

Dispositif Femassist

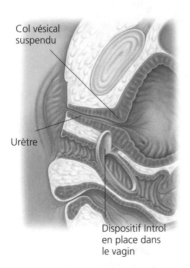

Col vésical
suspendu

Urètre

Dispositif Introl
en place dans
le vagin

Dispositif Introl

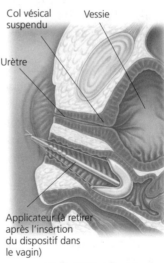

Col vésical
suspendu

Vessie

Urètre

Applicateur (à retirer
après l'insertion
du dispositif dans
le vagin)

Dispositif Contigard

déterminée par un médecin ou une infirmière afin de s'assurer du bon ajustement. On jette le dispositif lorsqu'on le retire avant d'uriner.

Le dispositif Femassist est un autre exemple. Il consiste en un capuchon qui bouche le méat de l'urètre à l'extérieur et tient en place par succion. Le dispositif est réutilisable. Il suffit de le laver régulièrement afin qu'il reste propre.

Introl est un autre dispositif conçu afin de suspendre l'un des côtés du col de la vessie. Il faut au préalable consulter un professionnel de la santé qui vous indiquera le format approprié. Un bon ajustement permet de retenir le dispositif bien en place dans le vagin. Introl est muni de deux branches qui exercent une pression vers le haut sur l'un des côtés du col de la vessie. Ces branches ont différentes longueurs, ce qui permet de suspendre le col à la position idéale.

L'éponge vaginale est aussi une option efficace. On la connaît sous le nom de Contrelle[MD]. Elle agit comme un gros tampon et permet de comprimer l'urètre contre la paroi pubienne en vue d'arrêter les écoulements d'urine. Le dispositif est semblable au Contigard qui sert aussi à la suspension du col.

Ces dispositifs comportent divers avantages, notamment leur facilité d'emploi; de plus, ils laissent la femme décider du moment approprié pour les utiliser. Pour certaines femmes, un tampon hygiénique comprime suffisamment l'urètre pour permettre la continence.

L'utilisation d'un tampon est de mise par exemple durant des exercices d'aérobie ou des efforts physiques. Rappelez-vous que le fabricant en déconseille le port en l'absence des règles et qu'il faut le retirer après usage afin de minimiser les risques d'infection.

POINTS CLÉS

- On estime que 40 à 50 % des femmes souffrent d'incontinence urinaire d'effort.

- L'incontinence urinaire d'effort peut être causée par tout ce qui affaiblit le support du col vésical – souvent à la suite d'un accouchement –, ce qui provoque une descente de la vessie.

- Les exercices du plancher pelvien peuvent corriger le problème chez 75 % des femmes incontinentes.

- Un bon nombre d'interventions chirurgi-cales servent à traiter l'incontinence uri-naire d'effort.

- Le chlorhydrate de duloxétine représente un traitement médicamenteux possible en remplacement de la physiothérapie et de la chirurgie.

Incontinence urinaire par miction impérieuse

Le deuxième type le plus fréquent d'incontinence urinaire est l'incontinence par miction impérieuse. Il se définit par un besoin soudain et irrépressible d'uriner; l'urine s'écoule si la personne ne se rend pas immédiatement à la toilette. Il s'agit du syndrome « Je dois aller à la toilette… oups, trop tard. » Une urgence d'uriner occasionnelle peut se produire, mais cela devient un problème si les symptômes dérangent votre mode de vie ou que vous souffrez d'infections récurrentes.

Dans la plupart des cas, l'incontinence par miction impérieuse résulte d'une instabilité du muscle de la paroi vésicale (le détrusor), une condition connue sous le nom de suractivité du détrusor. Le muscle se contracte afin de faire passer l'urine à travers le col de la vessie au moment d'uriner. En temps normal, il ne se contracte qu'à cette occasion. Toutefois, s'il est instable ou suractif, il peut se contracter de manière involontaire, ce qui résulte en un besoin pressant d'uriner (fréquence). L'incontinence peut découler d'une suractivité du détrusor si le col de la vessie est faible ou s'il s'ouvre sous la pression des contractions. Le problème semble aller et venir; il est souvent pire en hiver.

Bon nombre de facteurs, notamment la toux, peuvent déclencher des contractions involontaires. La personne atteinte de suractivité du détrusor devrait consulter son médecin et lui souligner ses symptômes d'incontinence urinaire d'effort (des fuites d'urine lorsqu'elle tousse). La vue ou le son de l'eau qui coule peut aussi provoquer l'écoulement; et plus la vessie est pleine, plus grands sont les risques de contraction involontaire.

Les deux principaux types d'incontinence par miction impérieuse sont la suractivité du détrusor (besoin impérieux moteur), accompagnée de contractions involontaires, et l'urgence permictionnelle, où la vessie est dans un état d'inconfort sans qu'il n'y ait de fuite. On

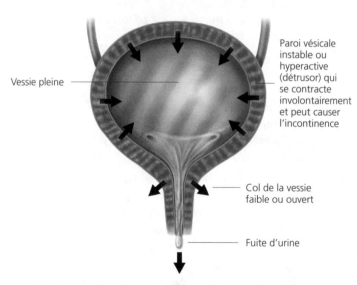

Vessie pleine

Paroi vésicale instable ou hyperactive (détrusor) qui se contracte involontairement et peut causer l'incontinence

Col de la vessie faible ou ouvert

Fuite d'urine

Incontinence par miction impérieuse – suractivité du détrusor distingue les deux au moyen de tests urodynamiques (voir la p. 23), bien que d'autres symptômes permettent de déterminer le problème.

Quelle est la cause ?

Dans la plupart des cas, la cause de l'incontinence par miction impérieuse reste inconnue. La suractivité du détrusor découle parfois de la perte du contrôle du réflexe d'évacuation de la vessie ou d'une hyperactivité de l'un des nerfs de la vessie. Des dommages ou des conditions neurologiques, tels un accident vasculaire cérébral ou la sclérose en plaques, peuvent entraîner des contractions vésicales instables. Si on connaît une cause neurologique à cette instabilité, on parle d'« hyperréflexie du détrusor ».

Les personnes chez qui l'incontinence par miction impérieuse se manifeste mouillaient leur lit pendant l'enfance ou ont toujours eu une « vessie fragile ». Cela peut être la conséquence d'un apprentissage de la propreté mal réalisé. Souvent, d'autres membres de la famille ont eu des problèmes d'incontinence.

Les femmes qui ont déjà subi une chirurgie relative à l'incontinence sont davantage à risque. L'intervention initiale a peut-être bloqué partiellement le col de la vessie dans le but d'éliminer les fuites. En réaction, le muscle peut épaissir. Dans certains cas, une perte de contrôle survient, résultant en une vessie instable.

Traitements possibles

Le traitement de la suractivité du détrusor consiste à tenter de faire cesser les contractions de la vessie. On y arrive au moyen d'une thérapie comportementale ou à l'aide de médication. Les deux approches traitent les symptômes plutôt que la cause du problème, donc elles ne mènent pas à la guérison.

Thérapie comportementale

La thérapie comportementale consiste à rééduquer le cerveau afin qu'il contrôle mieux la vessie, surtout en supprimant les contractions involontaires responsables de l'incontinence par miction impérieuse.

L'entraînement de la vessie est au cœur de la thérapie. D'abord, la vessie doit être vide. Une durée cible est alors établie, d'une heure habituellement, durant laquelle il est strictement interdit d'utiliser les toilettes (même si cela signifie un épisode d'incontinence). Une fois l'heure écoulée, la femme doit uriner. Cet exercice est répété jusqu'à l'intégration d'un horaire de miction. Par la suite, la durée est prolongée graduellement à mesure que de nouveaux objectifs sont atteints. Le but est d'arriver à uriner toutes les trois heures.

L'entraînement de la vessie est très efficace en milieu hospitalier pour le traitement de l'incontinence par miction impérieuse, avec une amélioration dans environ 85 % des cas. Elle exige cependant une grande motivation et un engagement total, outre l'appui du personnel. C'est pourquoi le taux de rechute est très élevé lorsque les femmes sortent de l'hôpital et reprennent leur mode de vie habituel, qui ne convient pas toujours au programme de miction enseigné. Il y a moins de services de soutien et d'appui à l'extérieur de l'hôpital, bien que de nombreux physiothérapeutes, des experts en incontinence et des infirmières dans le public puissent accompagner les femmes dans cette démarche. Malgré les problèmes à maintenir l'amélioration de la condition, l'entraînement de la vessie reste un outil important dans le contrôle d'une vessie instable.

La rétroaction biologique est utile pour l'entraînement de la vessie. Des senseurs électriques qui détectent l'activité vésicale peuvent aider la patiente à reconnaître la sensation d'une contraction de la vessie ; ainsi, il est plus facile d'apprendre à supprimer ces contractions.

Les mêmes principes d'entraînement de la vessie fonctionnent dans le cas de l'énurésie. Dans ce cas, il faut découvrir quand l'énurésie survient et fixer la sonnerie du réveil avant ce moment. On peut retarder l'heure du réveil à mesure que le contrôle de l'incontinence s'améliore.

Médication

Les anticholinergiques sont les médicaments les plus utilisés pour traiter une vessie instable. Ces médicaments ont pour effet de bloquer les transmissions nerveuses entre les nerfs qui contrôlent la vessie et le muscle vésical. La réaction du muscle à la stimulation est atténuée, car le médicament agit à la façon d'un

Anticholinergiques à libération immédiate

- Oxybutynine : deux ou trois fois par jour
- Chlorure de trospium : deux ou trois fois par jour
- Chlorure de propiverine : deux ou trois fois par jour
- Detrusitol (toltérodine) : deux fois par jour

Anticholinergiques à effet prolongé

- Oxybutynine : une fois par jour
- Oxybutynine : timbres
- Detrusitol (toltérodine) : une fois par jour
- Solifénacine : une fois par jour
- Darifénacine : une fois par jour

Effets indésirables des anticholinergiques

- Vision trouble
- Sécheresse de la bouche
- Constipation
- Rétention d'urine
- Aigreurs
- Palpitations

amortisseur. Le traitement se poursuit souvent à long terme, voire toute la vie, car le médicament traite les symptômes plutôt que la cause de la condition.

Les plus grands problèmes des anticholinergiques sont leurs effets indésirables, car ils peuvent aussi toucher d'autres parties de l'organisme. Les effets secondaires les plus courants sont la sécheresse de la bouche, la vision trouble, la constipation, les aigreurs, les palpitations ainsi que la difficulté à uriner si les anticholinergiques sont trop efficaces. Il faut les éviter si vous souffrez de glaucome à angle fermé. Certaines personnes rapportent de la somnolence ou de la fatigue. Cependant, en dépit de ces effets indésirables (qu'il faut prévoir si les médicaments donnent leur plein potentiel), les bienfaits des médicaments surpassent les inconvénients.

Une solution de rechange aux anticholinergiques, s'ils produisent trop d'effets indésirables, est un antidépresseur tricyclique (amitriptyline ou imipramine). L'antidépresseur peut avoir certains des effets indésirables des anticholinergiques, mais à degré moindre. Les nouveaux anticholinergiques comme la toltérodine, la propiverine et le chlorure de trospium sont sur le marché depuis peu et présentent moins d'effets secondaires.

Tous ces médicaments agissent de la même façon, bien que chacun convienne mieux à certaines patientes qu'à d'autres. Le chlorure de trospium, par exemple, interagit peu avec les autres médicaments; il fonctionne donc bien chez les personnes plus âgées qui sont très médicamentées. La solifénacine semble plus efficace dans les cas de nycturie, alors que les timbres d'oxybutynine aident à éviter les nombreux effets secondaires des médicaments pris par voie orale.

L'hormone analogue desmopressine fournit une autre façon de gérer l'incontinence. Cette hormone indique aux reins de ralentir leur production d'urine, ce qui diminue la vitesse à laquelle la vessie se remplit. C'est surtout avantageux la nuit, quand la production d'urine devrait ralentir naturellement pour vous permettre de dormir toute la nuit.

Ce type de traitement présente un problème : on ne peut pas l'utiliser à long terme. Les reins qui produisent moins d'urine la nuit doivent compenser ce ralentissement et en fabriquer davantage durant la journée. La desmopressine est surtout recommandée aux enfants qui mouillent leur lit ou aux adultes dont les symptômes sont pires la nuit. On la prescrit rarement aux personnes qu'une rétention de fluides accentuée mettrait en danger, notamment les personnes qui souffrent d'hypertension artérielle ou de problèmes cardiaques.

L'œstrogène peut faire partie d'une stratégie de gestion de l'incontinence chez les femmes à la ménopause.

Changer son alimentation et son mode de vie

On sait que le tabagisme irrite la vessie et qu'il la rend instable ou aggrave sa condition. La caféine et l'alcool sont encore pires, car non seulement ils stimulent la vessie, mais ils poussent également les reins à produire davantage d'urine. Cela accentue l'instabilité de la vessie, qui doit alors travailler davantage. Il y a de la caféine dans le café, mais aussi dans le thé et certaines boissons gazeuses; ces produits peuvent faire empirer les symptômes.

Un compromis possible pour ce qui est de l'alcool est de boire du vin ou des spiritueux plutôt que de la bière ou des cocktails. De cette façon, vous réduisez la quantité de liquide qui passe dans votre vessie.

De simples changements du mode de vie donnent de bons résultats chez certaines personnes. Par exemple, une femme dont la mobilité est réduite pourrait avoir une fuite urinaire le matin, vu que sa vessie est pleine et qu'elle doit faire des efforts pour marcher jusqu'aux toilettes. Un fauteuil hygiénique à côté du lit pourrait régler son problème.

Intervention chirurgicale (cathéterisme)

L'intervention chirurgicale la plus simple consiste à insérer un cathéter sus-pubien (qui passe à travers la paroi abdominale plutôt que par l'urètre) afin de garder la vessie vide tout en réduisant les risques d'infection du cathéter. Dans de rares occasions, on procède à une cystoplastie d'augmentation, mais seulement en dernier recours, car l'intervention est complexe et présente de grands risques de complications. Il s'agit de prélever du tissu intestinal et de le coudre dans la vessie afin qu'il serve d'amortisseur aux contractions vésicales.

POINTS CLÉS

- L'incontinence par miction impérieuse résulte de l'instabilité du muscle de la paroi vésicale.

- Dans la majorité des cas, la cause reste inconnue.

- Le traitement peut consister en une thérapie comportementale et en médicaments.

- Ces traitements soulagent les symptômes, mais ne guérissent pas.

- Des changements alimentaires et du mode de vie peuvent aider.

Difficultés à vider la vessie

De façon générale, les problèmes associés à l'évacuation de la vessie (la miction) ont deux causes. D'une part, un muscle vésical faible ou qui ne se contracte pas comme il le devrait empêche la vessie de se vider adéquatement. D'autre part, si le col de la vessie ne réussit pas à se détendre ou qu'il est lésé, il laissera difficilement passer l'urine. Dans les deux cas, l'évacuation de la vessie sera incomplète. Ces problèmes peuvent survenir simultanément ou séparément.

Symptômes
Cystite récidivante
Une des causes courantes de la difficulté à vider la vessie chez la femme est la cystite récidivante, car elle diminue les mécanismes de protection contre une infection vésicale. La miction a habituellement pour effet d'entraîner les bactéries loin de la vessie et des parois extérieures de l'urètre. Si la vessie se vide mal, ces bactéries restent en place plus longtemps et sont davantage en mesure de causer une infection.

Symptômes de difficultés d'évacuation

- Infections récurrentes
- Retard à la miction
- Urgence permictionnelle et fréquence
- Miction par regorgement (fuite)
- Incontinence urinaire
- Douleur à la vessie

Retard à la miction

On entend ici le délai entre l'intention d'uriner et le début de la miction. Dans des cas plus rares, la condition mène à la strangurie, une douleur associée à la tentative de miction. Cette condition est le plus souvent associée au prostatisme, un trouble qui touche l'homme.

Urgence permictionnelle et fréquence

Quand la vessie ne se vide pas complètement, cela réduit l'espace disponible. Il en résulte une augmentation de la fréquence de miction et de nycturie (se lever plus souvent qu'à la normale pour uriner la nuit).

L'urgence permictionnelle peut aussi représenter un problème (voir le Glossaire à la p. 88).

Rétention

La rétention est une anomalie où la vessie est dans l'incapacité de se vider. Quand ce problème se manifeste de manière soudaine, il cause une grande douleur. Des soins immédiats sont essentiels afin d'éviter des dommages à la vessie qui peuvent résulter d'une telle situation à long terme.

Une rétention chronique peut aussi survenir, mais elle est quasi indolore. Elle survient lorsque l'orifice de la vessie est obstrué, par exemple lorsqu'un fibrome appuie sur l'urètre, ou que la vessie est incapable de générer l'effort musculaire suffisant pour déclencher la miction.

La première partie du traitement consiste à vider la vessie au moyen d'un cathéter. Ensuite, le médecin peut procéder à des tests qui permettront de trouver la cause du problème, par exemple une masse qui appuie sur la vessie. Dans un tel cas, il y aura une analyse sanguine en vue de déterminer si les reins n'ont pas subi de dommages à cause de cette pression ainsi qu'une échographie. Le médecin peut commander des tests urodynamiques (voir la p. 24).

Miction par regorgement (fuite)

La pression dans une vessie qui ne se vide pas augmente et en vient à causer des fuites connues sous le nom de miction par regorgement. Ce n'est pas un cas grave. La fuite d'urine est parfois à peu près constante.

Ce genre de problème se présente le plus souvent chez l'homme ayant des troubles de la prostate, bien qu'il puisse aussi se manifester chez la femme, surtout lorsqu'un fibrome utérin massif cause une pression sur la paroi de la vessie. La miction par regorgement peut aussi se manifester de pair avec d'autres problèmes médicaux comme la sclérose en plaques, qui élimine la coordination de la vessie. Dans de tels cas, la vessie se contracte pour laisser passer l'urine, mais le sphincter urétral se contracte en même temps pour éviter l'écoulement (voir les pp. 11-12).

La miction par regorgement se produit parfois à cause de fistules (voir les pp. 79-80).

Douleur à la vessie

La douleur à la vessie due à la difficulté à uriner corres-
pond à un besoin pressant de miction, aussi appelé
urgence permictionnelle. La douleur est habituellement
sus-pubienne, soit juste au-dessus de l'os iliaque. Des
infections sont souvent associées à l'urgence permictionnelle intense; de plus, les infections causent une
sensation de brûlure durant la miction. Dans les cas
plus graves, une douleur diffuse peut subsister après
l'évacuation d'urine.

Causes des difficultés de miction
Médicaments

Les médicaments comme les antidépresseurs peuvent
supprimer la capacité de la vessie de se contracter. Si la
fonction vésicale est faible en temps normal, la femme
peut commencer à faire de la rétention.

Causes de la rétention urinaire ou des difficultés a vider la vessie

- Médicaments
- Lésions aux nerfs/problèmes neurologiques
- Accouchement
- Anesthésie épidurale
- Fibromes/masses
- Constipation
- Chirurgie
- Rétrécissement de l'urètre
- Prolapsus
- Affaiblissement du détrusor
- Infections des voies urinaires

Lésions nerveuses

Des lésions aux nerfs reliés à la vessie peuvent altérer la capacité du muscle vésical de se contracter. Des maux de dos graves ou chroniques (notamment une hernie discale) peuvent déclencher la difficulté à vider la vessie.

Accouchement

La rétention d'urine est le plus souvent associée à l'accouchement, surtout par suite d'une anesthésie épidurale, qui semble ralentir la fonction nerveuse de la vessie. Les femmes qui reçoivent l'épidurale devraient porter une sonde à demeure qui protégera leur vessie jusqu'au retour complet de leurs sensations (environ 12 heures). L'utilisation des forceps accroît également les risques, de même qu'un traumatisme du périnée et du vagin qui rend la miction douloureuse et incite la femme à se retenir; à un moment donné, elle devient incapable d'uriner.

Fibromes/masses/constipation

Les fibromes sont un problème gynécologique courant qui entraîne à l'occasion des difficultés d'évacuation vésicale. Les fibromes sont des tumeurs bénignes qui se forment dans l'utérus. Ils nuisent à l'évacuation de la vessie lorsqu'ils obstruent la partie externe du col vésical. Et à mesure que le fibrome grossit, le problème s'accentue jusqu'à ce que la femme atteigne le stade de rétention. Toute autre masse dans le bassin (la constipation par exemple) peut causer des problèmes semblables.

Chirurgie

L'une des causes les plus fréquentes de troubles permictionnels temporaires est la chirurgie pelvienne, et surtout l'intervention contre l'incontinence urinaire. Même après la suspension du col de la vessie, il reste toujours une certaine obstruction. La pression de contraction du muscle vésical doit être assez grande pour surmonter cette obstruction, sinon il est difficile de vider la vessie. La plupart des femmes qui ont subi une colposuspension, par exemple, remarquent que leur miction est plus lente après la chirurgie.

Les difficultés de miction postopératoires peuvent être à court ou à long terme. Environ 20 % des femmes éprouveront une forme de dysfonction permictionnelle mineure qui peut être traitée efficacement à l'aide d'un cathéter. Environ 1 % de ces femmes souffriront de problèmes à long terme exigeant un traitement prolongé. Le mode de gestion le plus efficace à ce jour est l'autocathétérisme, qui permet à la femme de contrôler ses symptômes et d'avoir un mode de vie normal (voir la p. 64).

Rétrécissement de l'urètre

Le rétrécissement ou la constriction de l'urètre est plutôt rare chez la femme. Ce problème peut cependant survenir en cas de traumatisme ou d'infection à la paroi de l'urètre suivi de la formation de tissus cicatriciels. Le rétrécissement de l'urètre accentue les difficultés de miction, car il réduit la taille de l'urètre, ce qui ralentit le débit urinaire. Il faut procéder par chirurgie afin de dilater l'urètre ou d'éliminer les tissus cicatriciels. Cette opération demande une évaluation préalable afin de s'assurer qu'il n'y a pas de problèmes latents et que l'intervention n'endommagera pas l'urètre davantage. Le rétrécissement de l'urètre est souvent récurrent, ce qui exige de reprendre le traitement.

Prolapsus

Le prolapsus peut nuire à l'évacuation de l'urine en créant des plicatures, donc en bloquant l'urètre, à la manière d'un boyau d'arrosage qu'on tord pour interrompre le débit d'eau. La correction du prolapsus remet le col de la vessie en place et rétablit une miction normale. Le prolapsus et l'incontinence se manifestent souvent de concert, puisque les dommages qui causent le prolapsus conduisent aussi à l'incontinence d'effort.

Détrusor faible

Le détrusor s'affaiblit avec l'âge et se contracte moins bien. La paroi vésicale se raidit. Le résultat : la vessie perd de son efficacité. Ces effets normaux du vieillissement expliquent pourquoi les personnes âgées mettent plus de temps à vider leur vessie et doivent aller à la toilette plus souvent.

Il arrive que les nerfs de la vessie cessent de fonctionner correctement, ce qui empêche le détrusor de bien se contracter. Des lésions aux nerfs de la vessie apparaissent après une rétention d'urine ou découlent du diabète, de la sclérose en plaques ou d'un accident vasculaire cérébral. Cela ne cause pas nécessairement un problème, car la miction dépend en partie de la détente du plancher pelvien, qui peut en soi favoriser l'action d'uriner. En temps normal, cependant, les femmes doivent exercer une certaine force pour vider leur vessie.

Examens

Les troubles de miction exigent des examens urodynamiques complets (voir la p. 24). En cas de douleur à l'aine ou d'infections rénales graves, des tests vont vérifier si l'urine ne s'écoule pas en sens inverse dans l'urètre (de la vessie aux reins). Un autre examen, appelé profil de pression urétrale, sert à évaluer la pression dans l'urètre.

Le médecin peut demander une cystoscopie en cas de doute ou si vous avez des antécédents d'infections. Cette procédure permet d'examiner l'intérieur de la vessie à l'aide d'un télescope et de faire le prélèvement de fragments de tissus aux fins d'analyse, le tout sous anesthésie générale.

Traitement

La solution aux problèmes mineurs relève souvent de simples astuces. Sur la toilette, écartez vos jambes plutôt que de serrer les genoux. Une inclinaison vers l'avant peut modifier l'angle du col vésical de façon à permettre une évacuation plus complète. Une pause de deux minutes après le premier jet mictionnel, suivie d'un nouvel essai, peut donner de bons résultats.

Les symptômes plus graves peuvent exiger des traitements spécifiques. Il existe trois approches thérapeutiques contre les problèmes de miction :

1. Augmentation de la force des contractions vésicales. On y arrive dans certains cas en prenant du béthanéchol qui stimule les fibres nerveuses contrôlant les contractions du muscle vésical. C'est efficace s'il n'y a pas de signes d'obstruction du col vésical ou de l'urètre.
2. Réduction de l'obstruction urétrale. Cette méthode est conseillée si on remarque un site d'obstruction particulier dans l'urètre comme un rétrécissement, lequel serait dépisté durant les examens décrits précédemment.
3. Cathétérisme. On peut utiliser les cathéters à l'occasion ou les laisser en place à long terme.

L'autocathétérisme occasionnel bien enseigné aux personnes adroites en bonne santé est la meilleure option. Il accroît la liberté de gestion des symptômes de la vessie et n'est pas plus exigeant que de changer un tampon.

Utilisation d'un cathéter

Un cathéter est un tube mou et souple à embout arrondi, plus mince qu'un crayon. Inséré dans la vessie en passant par l'urètre, il permet un écoulement de l'urine sans effort musculaire.

De prime abord, la plupart des femmes rejettent l'idée d'un cathéter, mais une fois qu'elles ont appris à s'en servir, elles constatent que c'est plus facile qu'elles le croyaient. Il faut avoir une bonne compréhension de l'anatomie pelvienne et savoir repérer l'urètre. Au début, un miroir peut aider, mais la plupart des femmes en

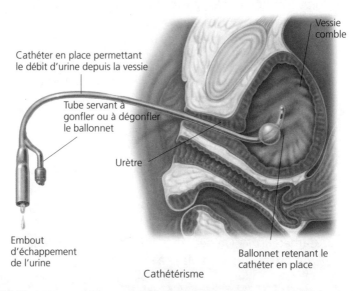

Cathéter en place permettant le débit d'urine depuis la vessie

Tube servant à gonfler ou à dégonfler le ballonnet

Urètre

Embout d'échappement de l'urine

Vessie comble

Ballonnet retenant le cathéter en place

Cathétérisme

viennent à s'en passer. L'insertion d'un cathéter dans l'urètre n'est pas douloureux avec la pratique.

Le nombre de fois où il faut porter le cathéter dépend de votre fonction vésicale.

POINTS CLÉS

- La difficulté à vider la vessie cause divers symptômes.

- Les causes varient : médicaments, lésions nerveuses, accouchement, fibromes ou chirurgie pelvienne.

- De simples astuces peuvent suffire à gérer les cas plus légers.

- L'autocathétérisme peut être un moyen efficace de gérer le problème de difficulté à vider la vessie.

Infections urinaires

Les voies urinaires comprennent les reins, les uretères, la vessie et l'urètre. L'infection à l'un de ces organes peut se propager aux autres.

Les symptômes des infections urinaires varient beaucoup. Certaines femmes n'en ressentent aucun et l'infection reste inaperçue jusqu'à une insuffisance rénale. En revanche, d'autres femmes ont des douleurs et des cystites intenses, et perdent du sang dans leur urine. Les femmes atteintes d'infections plus de trois fois l'an sont dites sujettes aux récurrences.

Quelle est la cause des infections ?

Les bactéries sont de petits organismes qu'on trouve partout. Elles ne causent pas d'infection dans leur milieu naturel. Quand l'équilibre se brise et qu'il y a plus de bactéries d'un type que d'un autre, cela peut donner une infection. Il est normal qu'il y ait des bactéries dans la vessie d'une femme en santé. La cystite est une inflammation de la vessie et peut résulter d'une infection. L'urètre de la femme (le conduit entre la vessie et l'extérieur) est plutôt court, ce qui favorise l'accès aux bactéries qui se trouvent dans le vagin et le périnée (la zone entre le vagin et l'anus). Il s'agit souvent des mêmes bactéries que dans l'intestin.

Lors de la miction, l'urine emporte ces bactéries avec elle et nettoie la partie immédiatement à l'extérieur de l'urètre.

Si la vessie ne se vide pas complètement, les bactéries qui s'y trouvent y restent et se multiplient. L'augmentation des bactéries peut causer des dommages aux muqueuses de la vessie et produire une inflammation.

À cette étape apparaissent des sensations de brûlure ainsi que les caractéristiques de la cystite.

Il est clair que les difficultés à vider la vessie constituent une cause majeure d'infections. Les rapports sexuels sont une autre cause importante, car les bactéries habituellement présentes à l'extérieur de l'urètre peuvent alors entrer dans l'urètre et atteindre la vessie. On parle d'auto-infection. L'homme peut transmettre à la femme de nouvelles bactéries. Les rapports sexuels produisent de petites lésions à partir desquelles les bactéries peuvent se propager dans la vessie.

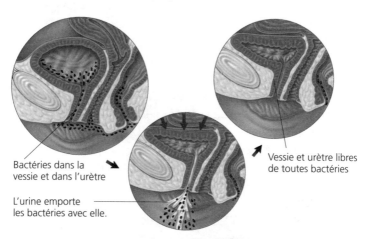

Bactéries dans la vessie et dans l'urètre

L'urine emporte les bactéries avec elle.

Vessie et urètre libres de toutes bactéries

Le fait de bien vider sa vessie aide à éliminer les bactéries dommageables.

Des mesures simples permettent d'éviter les infections associées aux rapports sexuels. Vider sa vessie complètement après un rapport sexuel aide à évacuer les bactéries de la vessie. Cependant, pour profiter au maximum de l'effet protecteur, il faut que la vessie soit presque pleine, car une miction de quelques gouttes ne fera pas la vidange de toutes les bactéries. Le moyen de contraception utilisé compte également. Le diaphragme et les spermicides causent des infections urinaires chez 10 % des femmes. L'utilisation d'un préservatif (condom) peut empêcher la propagation d'une infection. Certaines femmes sont allergiques au spermicide le plus populaire, soit le nonoxinol-9; il faut choisir des préservatifs hypoallergènes dans ce cas.

De simples mesures d'hygiène contribuent aussi à réduire la prolifération bactérienne à l'extérieur du vagin. Assurez-vous notamment de vous essuyer depuis le vagin jusqu'à l'anus quand vous allez aux toilettes. Les douches vaginales sont à déconseiller, car elles éliminent les bactéries normalement efficaces et favorisent la propagation des bactéries intestinales nuisibles, ce qui en réalité accroît les risques d'infection. Le vagin est un organe autonettoyant qui ne nécessite aucun détersif ni parfum.

Les calculs rénaux sont une autre cause d'infection. Il est quasi impossible d'enrayer une infection lorsque la bactérie a envahi un calcul rénal. Dans ce cas, on doit faire l'ablation des calculs. Les infections se manifestent aussi plus souvent durant une grossesse (voir la p. 20).

Examens

Lors d'une consultation médicale, le médecin pourra déterminer si vous avez une infection plutôt qu'une autre condition comme la cystite interstitielle (voir ci-après).

Une analyse d'urine permet de confirmer le diagnostic avant d'entreprendre un traitement aux antibiotiques. L'échantillon d'urine doit être pris à mi-chemin de la miction, c'est-à-dire que vous commencez à uriner dans la toilette, puis recueillez de l'urine dans le contenant. La première urine à couler pourrait contenir des bactéries présentes sur la peau et dans l'urètre; l'échantillon pris un peu après est plus représentatif, car il provient de l'intérieur la vessie. Les résultats de l'analyse permettront de prescrire l'antibiotique approprié.

On vous demandera des échantillons à plusieurs reprises dans le cas d'infections récurrentes afin de déterminer avec précision le type d'infection. Ces tests indiqueront s'il s'agit d'infections différentes ou de la même infection qui n'a pas bien été traitée.

Les femmes sujettes à des infections à répétition devront subir d'autres examens en vue d'exclure des causes d'infection, comme l'insuffisance rénale chronique. Un journal de volume de fréquence urinaire (voir la p. 24) peut fournir de l'information importante sur le comportement de votre vessie.

Les tests urodynamiques, ainsi que la cystoscopie, sont des examens de routine pour évaluer l'intérieur de la vessie.

Traitement

Les infections bénignes se résorbent habituellement d'elles-mêmes, mais vous pouvez soulager les symptômes à l'aide des moyens décrits ci-dessous. Bon nombre de femmes affirment que boire de l'eau en grande quantité aide à éliminer l'infection. En fait, l'eau atténue les symptômes en diluant l'urine alors que la vessie est douloureuse et en permettant aux défenses naturelles de l'organisme de combattre l'infection.

Le bicarbonate de soude, l'eau d'orge et le jus de canneberges sont couramment recommandés pour guérir la cystite. En outre, ils contribuent à diminuer le taux d'acidité de l'urine, ce qui peut soulager la douleur à la miction.

Les infections plus graves requièrent un traitement avec un antibiotique approprié. Les médecins traitent souvent de façon empirique, c'est-à-dire qu'ils prescrivent un antibiotique qui a des chances de traiter l'infection. Ils souhaitent commencer à soigner l'infection sur-le-champ au lieu d'attendre les résultats des analyses pendant trois jours, résultats qui leur indiqueraient le type de l'infection et l'antibiotique approprié. Sachez que si un antibiotique ne fonctionne pas à un moment donné, il peut se révéler efficace dans une autre situation.

Il reste deux options de traitement une fois qu'on a éliminé toute cause sous-jacente d'infections récurrentes. D'abord, avec une faible dose d'antibiotiques la nuit, on pourrait essayer de maintenir la vessie stérile en plus de traiter toute infection avant qu'elle ne s'aggrave. La deuxième approche consiste à ne traiter la condition qu'au besoin.

Si les symptômes ne se manifestent qu'après un rapport sexuel, nous conseillons de prendre un antibiotique avant ou immédiatement après. La plupart des femmes qui ont des cystites récurrentes peuvent prédire l'apparition des symptômes jusqu'à 12 heures à l'avance. La prise d'une dose d'antibiotique à ce moment suffit souvent à soulager les symptômes. S'ils persistent, on peut prendre plus d'antibiotiques. Des symptômes qui durent plus de 24 heures indiquent que l'infection résiste à l'antibiotique.

À l'occasion, quoique rarement, des bactéries comme les Ureaplasma ou Mycoplasma causent les infections.

Il faut commander séparément l'analyse d'urine en laboratoire pour déceler ces bactéries. Le cas échéant, il faudra suivre un traitement aux antibiotiques à long terme, d'environ trois mois.

Cystite interstitielle

La cystite interstitielle est une condition inflammatoire de la vessie rarement diagnostiquée; sa cause reste mal connue à ce jour. La cystite interstitielle provoque des douleurs à la vessie et imite les symptômes de la cystite régulière attribuable à une infection. Elle entraîne des problèmes d'urgence permictionnelle et déclenche parfois des saignements de la muqueuse vésicale; il y a alors du sang dans l'urine. Bon nombre de symptômes permettent de la diagnostiquer, entre autres des changements dans la capacité de la vessie et une sensibilité accrue. Un échantillon de la muqueuse de la vessie peut montrer une augmentation des cellules inflammatoires, surtout les mastocytes (un type de cellules immunitaires).

La cystite interstitielle se manifeste quasi exclusivement chez la femme, ce qui soulève la question de l'influence des hormones. Elle touche principalement les femmes caucasiennes (environ 95 %) et les symptômes apparaissent après 20 ans. Bon nombre de femmes deviennent sexuellement actives à cet âge, ce qui rend difficile de distinguer la cystite interstitielle des infections récurrentes.

Bien que la cause de la cystite interstitielle reste inconnue, le corps scientifique commence à comprendre ses effets. La muqueuse de la vessie présente une inflammation et épaissit. Cela peut résulter directement de l'infection ou du fait que les défenses de l'organisme combattent les cellules de la vessie. Ces deux hypothèses ont mené à la plupart des approches thérapeutiques existantes.

Traitement

Parmi les traitements les plus courants figure la prise d'antibiotiques à long terme, soit pendant au moins trois mois. Ce traitement a pour but de garder la vessie à l'abri de toute infection pendant que la muqueuse guérit. Des antibiotiques pris oralement peuvent aussi procurer des conditions propices à la guérison.

Les anti-inflammatoires ainsi que des médicaments courants comme l'aspirine ou des imitations peuvent être utiles. Les stéroïdes tels la prednisolone procurent un meilleur effet anti-inflammatoire.

Les antihistaminiques constituent un autre traitement anti-inflammatoire, même s'ils sont reconnus pour soulager la rhinite allergique et les ulcères gastriques. Les mastocytes de la muqueuse de la vessie libèrent de l'histamine, laquelle participe à l'inflammation. Les antihistaminiques renversent l'effet de l'histamine et peuvent, par conséquent, soulager les symptômes.

Beaucoup d'autres médicaments, comme les antidépresseurs, les anticholinergiques et les antagonistes calciques, sont prescrits contre la cystite interstitielle, ainsi que certaines interventions chirurgicales.
Malheureusement, comme on ne connaît toujours pas les causes de la cystite interstitielle, les traitements actuels ne font que soulager les symptômes pour l'instant.

Certains changements au mode de vie semblent aider. Il s'agit de déterminer les déclencheurs de la cystite interstitielle, par exemple la caféine. Éviter ces substances est parfois aussi efficace que les médicaments.

POINTS CLÉS

- Les infections des voies urinaires à répétition ont souvent un lien avec les rapports sexuels ou la difficulté à vider la vessie.

- De simples mesures d'hygiène peuvent aider.

- Les antibiotiques sont la forme de traitement privilégiée.

- Il est difficile de distinguer les infections récurrentes de la cystite interstitielle.

- La cystite interstitielle est une forme rare de cystite.

Autres problèmes associés à l'incontinence urinaire

Le médecin qui rencontre pour la première fois une patiente souffrant d'incontinence urinaire voudra en savoir davantage sur d'autres aspects de sa santé, car d'autres conditions sont associées à l'incontinence.

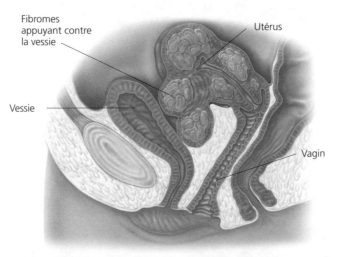

Fibromes appuyant contre la vessie

Utérus

Vessie

Vagin

Les fibromes peuvent croître sur la muqueuse utérine, déplaçant ainsi la vessie tout en augmentant la pression abdominale.

Règles et fibromes

Le médecin va s'enquérir de vos règles, car si elles sont abondantes et douloureuses, vous pourriez avoir des fibromes. Les fibromes sont des tumeurs bénignes qui croissent sur la muqueuse utérine. Ils sont courants et ils n'entraînent habituellement pas de complications. En revanche, ils peuvent amener les organes du bassin à se déplacer et, de là, nuire au fonctionnement de la vessie ou des règles. Ils peuvent en particulier augmenter la pression abdominale et empirer le déplacement du col vésical, associé à l'incontinence urinaire. Il serait bon de considérer le traitement de vos fibromes si vous devez subir une chirurgie contre l'incontinence urinaire.

Prolapsus

Le prolapsus est la descente de la muqueuse vaginale depuis sa position initiale, le long de la vessie, de l'intestin ou de l'utérus. Il résulte de dommages aux ligaments du bassin. Ces ligaments soutiennent l'utérus et constituent des couches de renfort pour l'intestin et la vessie. Les causes principales d'un prolapsus sont la grossesse et toutes autres situations menant à un effort chronique (la constipation, la toux du fumeur ou même l'embonpoint).

Il y a plusieurs types de prolapsus, cotés selon leur degré de gravité. Le cystocèle est un prolapsus de la paroi antérieure du vagin, suivie de la descente de la vessie. Le prolapsus utérin désigne la descente de l'utérus dans le vagin. Le rectocèle est un prolapsus de la paroi postérieure du vagin, suivie de la descente de l'intestin.

Le prolapsus peut se manifester seul ou présenter d'autres symptômes comme l'incontinence urinaire ou la difficulté à évacuer les selles. Parmi les plaintes les plus fréquentes figurent la sensation que « quelque

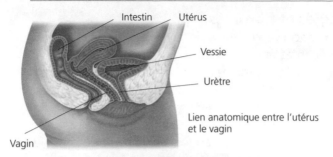

Intestin   Utérus

Vessie

Urètre

Lien anatomique entre l'utérus et le vagin

Vagin

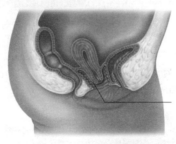

Prolapsus utérin – l'utérus tend à descendre dans le vagin

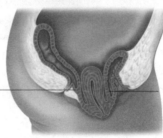

Rectocèle – la paroi postérieure du vagin s'affaisse, suivie d'une partie de l'intestin

Cystocèle – la paroi antérieure du vagin s'affaisse, suivie de la vessie

Le prolapsus est la descente de tout organe depuis sa position initiale par rapport au vagin.

chose descend » ainsi que de l'inconfort ou de la douleur durant les rapports sexuels.

Le traitement choisi pour un prolapsus dépend de plusieurs facteurs, y compris ce que vous souhaitez et les modifications qu'il cause à votre mode de vie. La chirurgie semble donner les meilleurs résultats, du fait qu'elle remet les organes en place, mais elle n'est pas toujours appropriée. Vous désirez peut-être avoir d'autres enfants (et une autre grossesse pourrait entraîner une récurrence du prolapsus). Vous n'êtes peut-être pas apte à subir une chirurgie, ou vous la refusez peut-être. Une option consiste à installer des anneaux de silicone, appelés pessaires, dans le vagin. Les pessaires suffisent parfois à soulager les symptômes. Il faut ensuite les changer tous les six mois. Leur seul inconvénient est qu'ils compliquent les rapports sexuels en raison de leur présence dans le vagin.

Diabète

Le diabète peut toucher la vessie de plusieurs façons, depuis la fréquence accrue de miction résultant d'un apport excessif de liquide jusqu'aux dommages aux nerfs qui alimentent la vessie. Dans ce cas, le diabète peut mener à une suractivité du détrusor ou à des difficultés à vider sa vessie, ou aux deux, selon l'effet réel du diabète sur les nerfs.

Il est donc impératif de subir un examen à cet effet si vous présentez des symptômes de diabète (soif, fréquence urinaire et perte de poids) ou si vous avez des antécédents familiaux importants.

Syndrome du côlon irritable

Les femmes qui ont des problèmes de vessie, notamment une vessie instable, ont souvent aussi des problèmes intestinaux. Le syndrome du côlon irritable peut entraîner une multitude d'effets, notamment des ballonnements, de la constipation et de la diarrhée. Les symptômes peuvent varier et découler de facteurs comme la tension (le stress) et les règles. Le meilleur traitement du syndrome du côlon irritable est une consommation accrue de fibres alimentaires afin de stimuler un transit intestinal normal. Les médicaments comme les préparations à base de menthe poivrée et les antispasmodiques peuvent aider à réguler les spasmes intestinaux. Vous pouvez aussi faire appel à des laxatifs en cas de constipation.

Les médicaments servant à traiter une vessie instable peuvent aggraver la constipation (voir les pp. 51-52). Rappelez-vous-le si cela peut représenter un problème pour vous.

Dorsalgie (maux de dos)

Une dorsalgie au bas du dos peut entraîner le pincement des nerfs qui alimentent la vessie, surtout à la sortie du canal rachidien.

Cela peut à son tour nuire au fonctionnement de ces nerfs et provoquer des difficultés à uriner. Le mal de dos peut par conséquent constituer un problème de

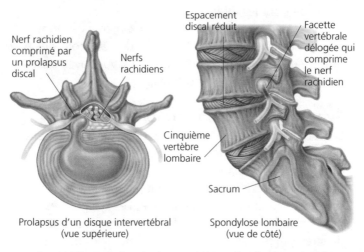

Espacement discal réduit

Facette vertébrale délogée qui comprime le nerf rachidien

Nerf rachidien comprimé par un prolapsus discal

Nerfs rachidiens

Cinquième vertèbre lombaire

Sacrum

Prolapsus d'un disque intervertébral
(vue supérieure)

Spondylose lombaire
(vue de côté)

Les problèmes du bas du dos peuvent entraîner le pincement de nerfs qui alimentent la vessie à la sortie du canal rachidien et ainsi affecter le contrôle de la vessie.

miction. Une bonne physiothérapie en vue de traiter la dorsalgie peut atténuer la pression engendrée par le pincement des nerfs et aider à soulager les symptômes.

Fistules

Une fistule est un canal anormal reliant deux cavités, par exemple, la vessie et le vagin, et peut causer l'incontinence urinaire. Dans cet exemple, l'urine peut s'écouler directement dans le vagin au lieu de s'emmagasiner dans la vessie.

Les fistules ont diverses origines. Dans les pays industrialisés, la principale cause est un cancer ou une radiothérapie suivant un cancer, car tous deux affaiblissent les muscles. Les fistules peuvent aussi se manifester après une chirurgie, sur les surfaces endommagées, en particulier après une hystérectomie. Ailleurs dans le monde,

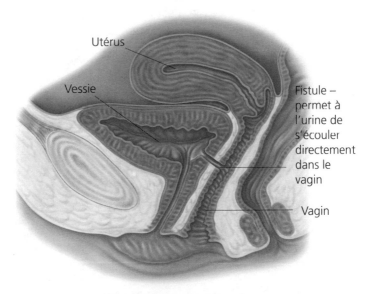

Utérus

Vessie

Fistule – permet à l'urine de s'écouler directement dans le vagin

Vagin

Fistule entre la vessie et le vagin

le problème découle principalement d'un accouchement anormalement long. Il se produit une érosion des tissus entre la vessie et le vagin. Les fistules peuvent aussi être congénitales, c'est-à-dire présentes à la naissance.

Les fistules sont des problèmes rares qui exigent des soins spécialisés. Elles guérissent parfois d'elles-mêmes, sans chirurgie, mais cela peut prendre des semaines pendant lesquelles un cathéter garde la vessie vide. La chirurgie des fistules requiert une grande expertise et des soins postopératoires en vue d'éliminer tout risque de récurrence.

Malformations congénitales

Certains bébés naissent avec une malformation, par exemple, un uretère ectopique. Il s'agit d'un uretère, soit le canal qui relie la vessie aux reins, qui n'est pas relié à la vessie, mais au vagin, ce qui cause des fuites urinaires vu que la vessie n'est pas sur son parcours. Ces anomalies sont la plupart du temps diagnostiquées tôt et traitées de façon appropriée.

POINTS CLÉS

- L'incontinence urinaire peut avoir un lien avec d'autres problèmes de santé.

- La chirurgie devrait viser à traiter tous les problèmes simultanément.

- Les traitements doivent être adaptés aux besoins de la personne.

Gestion du problème : produits et accessoires

Au cours des 20 dernières années, le nombre d'entreprises fabriquant des produits liés à l'incontinence urinaire a augmenté à mesure que l'ampleur du problème s'est révélée. Il y a bel et bien un marché pour ces produits et accessoires, car la plupart des femmes préfèrent gérer elles-mêmes leur incontinence urinaire plutôt que de consulter un médecin.

Malheureusement, cette approche peut se révéler coûteuse et pas toujours efficace, car les femmes achètent parfois des produits inappropriés ou de la mauvaise taille. De tels produits sont aussi disponibles auprès du NHS ainsi que des services du District Continence Advisory (Angleterre).

Le but de ces produits est de contenir le problème d'incontinence urinaire afin de permettre une vie sociale. À cette fin, il existe une panoplie de produits allant des minces serviettes hygiéniques couvrant le fond du sous-vêtement et procurant une légère protection, jusqu'aux couches ultra-sécuritaires et absorbantes semblables aux couches pour bébé. Il y a aussi

Quels sont vos besoins ?

- Quels problèmes cause votre incontinence urinaire ?
- Avez de fréquentes fuites légères ou des fuites importantes plus rares ?
- À quel moment ont lieu vos épisodes d'incontinence urinaire : la nuit seulement ou quand vous faites de l'exercice ?
- Est-il facile pour vous de vous changer après une fuite (la couche pour incontinence sert-elle seulement à vous aider à vous rendre aux toilettes ou doit-elle vous protéger pendant plusieurs heures) ?
- Avez-vous besoin d'aide pour vous changer ou pouvez-vous le faire vous-même ?
- Pouvez-vous retirer facilement une serviette hygiénique d'une pochette de votre culotte ou est-ce plus facile d'utiliser des couches ?
- Quelle est l'importance de porter des serviettes hygiéniques discrètes si vous préférez des vêtements bien ajustés ?
- Votre taille et votre forme peuvent déterminer les produits qui vous conviennent le mieux.

des dispositifs protecteurs pour les sièges et les lits, de même que des cathéters qui gardent la vessie vide.

La plupart des pharmacies ont une grande variété de ces produits à l'étalage. Cependant, pour choisir le meilleur produit, vous devez d'abord analyser vos besoins.

Plusieurs facteurs déterminent le choix d'un produit contre l'incontinence urinaire. Vous pouvez obtenir de l'aide de la Continence Foundation et du District Continence Advisory Service (Angleterre) qui vous renseigneront sur les moyens de limiter les effets de l'incontinence dans votre vie. En outre, ils vous aideront à choisir les produits les plus appropriés.

Protège-dessous et serviettes hygiéniques

Les serviettes hygiéniques constituent une protection simple et discrète, quoique peu efficace pour absorber l'urine. On les trouve partout dans le commerce. Elles sont très confortables et faciles à changer. En revanche, elles n'offrent qu'un faible degré de protection et il faut les changer souvent. Il arrive qu'elles causent des problèmes, car la doublure de plastique favorise une transpiration qu'on peut confondre avec une fuite urinaire. Elles sont populaires, car les femmes sont habituées de les porter et qu'elles n'ont pas de lien direct avec l'incontinence.

Les serviettes avec doublure étanche procurent la meilleure protection, car elles absorbent mieux que les

Points à considérer dans le choix de produits contre l'incontinence

- Taille et forme
- Fiabilité
- Capacité d'absorption de l'urine
- Odeur
- Discrétion
- Confort et irritabilité de la peau
- Coût
- Accessibilité/disponibilité
- Produit jetable/réutilisable
- Facilité d'emploi/de changement

serviettes minces, quoique des fuites puissent survenir le long de la serviette. Elles sont habituellement plus épaisses, plus longues et plus larges; la forme de certaines d'entre elles procure un meilleur ajustement. Des serviettes plus épaisses sont vendues pour les problèmes d'incontinence plus graves. On suggère le port de sous-vêtements extensibles pour maintenir ces serviettes en place et obtenir de bons résultats.

Culottes marsupiales

Les culottes marsupiales sont étanches et sont munies de serviettes interchangeables dans une pochette. Cela vous permet de remplacer la serviette sans changer de sous-vêtement. L'urine pénètre la couche poreuse, puis la serviette. Le principal avantage est que la serviette reste immobile, ce qui convient bien aux personnes à dextérité réduite pouvant oublier de replacer la serviette après avoir été aux toilettes. Il y a un inconvénient : le revêtement interne reste mouillé après une fuite urinaire, ce qui laisse une couche souillée en contact avec la peau.

À l'heure actuelle, un nombre croissant d'entreprises mettent sur le marché des sous-vêtements à gousset étanche ou à serviettes intégrées. Ces produits aident à améliorer l'image corporelle et permettent aux femmes de se sentir normales lorsqu'elles choisissent des sous-vêtements.

Couches

Le produit le plus sûr demeure la couche-culotte jetable. Des améliorations dans la conception du produit ont permis un meilleur ajustement et, par conséquent, un plus grand confort. Ces nouveaux produits sont beaucoup plus légers et retiennent mieux les fuites urinaires que les anciens modèles.

Housses pour matelas

Il existe dans le commerce un grand éventail de housses pour matelas. Le choix dépend de l'importance et de la fréquence des fuites. L'enfant qui s'échappe la nuit à l'occasion a besoin d'une housse plus mince que la personne qui vide sa vessie complètement toutes les nuits et qui continuera probablement de le faire. De nouvelles housses confectionnées dans un tissu respirant semblent favoriser le confort, quoiqu'elles soient plus coûteuses.

Alèses jetables

On trouve diverses alèses jetables dans le commerce pour la protection des meubles. L'alèse jetable absorbe la fuite urinaire dans une sous-couche, loin de la peau, ce qui permet d'éviter des lésions cutanées et l'irritation causées par un contact à long terme entre la peau et l'urine.

POINTS CLÉS

- Un grand nombre de produits peuvent vous aider à gérer votre incontinence urinaire.

- Consultez la Continence Foundation et le District Continence Advisory Service (Angleterre) pour obtenir des conseils sur les produits et accessoires contre l'incontinence urinaire.

- Une évaluation de vos besoins est essentielle afin de choisir le produit le plus approprié.

Choisir le meilleur traitement

Après avoir lu ce qui précède, vous comprenez maintenant que l'incontinence urinaire est un trouble complexe. Il existe différentes formes d'incontinence urinaire et leurs causes sont multiples. Leur point commun est qu'il y a des traitements disponibles afin de soulager les symptômes et d'améliorer la qualité de vie. Au cours de la dernière décennie, des tests ont été mis au point pour diagnostiquer le problème avec précision et permettre d'élaborer un traitement sur mesure efficace.

La forme d'incontinence la plus fréquente est l'incontinence urinaire d'effort, qui se contrôle dans la majorité des cas et qui se guérit par des exercices ou grâce à une intervention chirurgicale. Même si la chirurgie ne peut avoir lieu dans certains cas en raison de l'état de santé de la personne, cela ne signifie pas qu'il n'y a rien à faire. Des traitements alternatifs ont donné de bons résultats, y compris la médication et l'utilisation d'accessoires.

Le nombre des traitements croît rapidement à mesure que l'incontinence urinaire retient l'attention en tant que problème de santé important. C'est pourquoi on a vu une grande amélioration ces dernières années. Peu importe votre âge, n'hésitez pas à demander de l'aide. Communiquez avec le NHS (Angleterre) ou un organisme de votre région. Votre omnipraticien pourra vous orienter vers les ressources appropriées.

Glossaire

Cystite : le principal symptôme est une miction douloureuse. La douleur signale une inflammation de la vessie. En temps normal, les personnes parlent de cystite lorsqu'elles pensent avoir une infection alors qu'elles souffrent de fréquence de miction accrue, d'urgence permictionnelle et de dysurie.

Détrusor : le muscle de la paroi vésicale qui se contracte durant la miction.

Dysurie : une évacuation urinaire anormale, parfois douloureuse ou difficile.

Énurésie : l'action d'uriner au lit, aussi connue sous le nom d'énurésie nocturne, car elle survient la nuit.

Fréquence de miction : le besoin d'uriner plus souvent qu'à la normale (soit environ sept fois par jour) ou plus souvent qu'aux deux heures.

Miction : voir Spasme permictionnel.

Nycturie : le fait de se lever plus d'une fois la nuit pour uriner. Ce phénomène est atypique chez une personne normale de moins de 60 ans. Après la soixantaine, il est normal d'aller uriner une fois par nuit par décennie : par exemple, une personne de 70 ans pourrait se lever 2 fois la nuit et une personne de 80 ans, 3 fois.

Périnée : la région située entre le vagin et l'anus.

Prolapsus : la descente d'une partie de l'organisme par rapport à sa position originale. Ce terme est habituellement utilisé en association avec tout mouvement des organes du bassin qui « descendent » dans le vagin.

Strangurie : la sensation de vouloir uriner sans pouvoir le faire.

Incontinence urinaire d'effort : la miction involontaire causée par une pression intra-abdominale prononcée (fuite urinaire causée par la toux, les éternuements ou l'exercice).

Échographie : un examen de l'intérieur du corps effectué au moyen d'ondes sonores qui produisent une image.

Retard à la miction : la période de délai entre le désir d'uriner et la miction même.

Sphincter urétral : le col de la vessie ; muscles circulaires à l'orifice de la vessie qui ferment cette dernière hermétiquement entre les mictions.

Incontinence urinaire par miction impérieuse : une urgence permictionnelle associée à une fuite urinaire.

Urgence permictionnelle : le besoin soudain et immédiat d'uriner.

Urine : un déchet de l'organisme filtré par les reins.

Uretère : le tube qui relie le rein à la vessie.

Urètre : le tube qui part de la vessie et qui aboutit à l'extérieur.

Suractivité du détrusor : une vessie instable.

Évacuation : l'action de vider la vessie ou d'uriner ; la miction.

Index

Vos pages

Nous avons inclus les pages ci après en vue de vous aider à gérer votre maladie et son traitement.

Avant de fixer un rendez-vous avec votre médecin de famille, il serait utile de dresser une courte liste des questions que vous voulez poser et des choses que vous ne comprenez pas afin de ne rien oublier.

Certaines des sections peuvent ne pas s'appliquer à votre cas.

Soins de santé : personnes-ressources

Nom :

Titre :

Travail :

Tél. :

Nom :

Titre :

Travail :

Tél. :

Nom :

Titre :

Travail :

Tél. :

Nom :

Titre :

Travail :

Tél. :

Antécédents importants – maladies/ opérations/recherches/traitements

Événement	Mois	Année	Âge (alors)

Rendez-vous pour soins de santé

Nom :

Endroit :

Date :

Heure :

Tél. :

Nom :

Endroit :

Date :

Heure :

Tél. :

Nom :

Endroit :

Date :

Heure :

Tél. :

Nom :

Endroit :

Date :

Heure :

Tél. :

Rendez-vous pour soins de santé

Nom :
Endroit :
Date :
Heure :
Tél. :

Nom :
Endroit :
Date :
Heure :
Tél. :

Nom :
Endroit :
Date :
Heure :
Tél. :

Nom :
Endroit :
Date :
Heure :
Tél. :

Médicament(s) actuellement prescrit(s) par votre médecin

Nom du médicament :

Raison :

Dose et fréquence :

Début de l'ordonnance :

Fin de l'ordonnance :

Nom du médicament :

Raison :

Dose et fréquence :

Début de l'ordonnance :

Fin de l'ordonnance :

Nom du médicament :

Raison :

Dose et fréquence :

Début de l'ordonnance :

Fin de l'ordonnance :

Nom du médicament :

Raison :

Dose et fréquence :

Début de l'ordonnance :

Fin de l'ordonnance :

Autres médicaments/suppléments que vous prenez sans une ordonnance de votre médecin

Nom du médicament/traitement :

Raison :

Dose et fréquence :

Début de la prise :

Fin de la prise :

Nom du médicament/traitement :

Raison :

Dose et fréquence :

Début de la prise :

Fin de la prise :

Nom du médicament/traitement :

Raison :

Dose et fréquence :

Début de la prise :

Fin de la prise :

Nom du médicament/traitement :

Raison :

Dose et fréquence :

Début de la prise :

Fin de la prise :

Questions à poser lors des prochains rendez-vous
(Note : N'oubliez pas que le temps que peut vous consacrer votre médecin est limité. Il est donc préférable d'éviter les longues listes de questions.)

_____

_____

_____

_____

_____

_____

_____

_____

_____

_____

_____

_____

_____

_____

_____

_____

_____

_____

_____

_____

Questions à poser lors des prochains rendez-vous

(Note : N'oubliez pas que le temps que peut vous consacrer votre médecin est limité. Il est donc préférable d'éviter les longues listes de questions.)

Notes

Notes

Notes

Notes

Notes